D0487690

afgeschreven

BITTERZOET VERLEDEN

Els van Wageningen

Bitterzoet verleden

www.kok.nl
ISBN 978 90 205 2940 1
NUR 301

Omslagontwerp: Julie Bergen
Omslagillustratie: Jitka Saniova / Imagestore, Arcangel images

HOOFDSTUK 1

Lieve help. Dat is nog zacht uitgedrukt. Ik heb zojuist een moord gepleegd. Wat moet ik nu doen? Ik zit hier met een lijk opgescheept en ik weet me geen raad. Als ik een borrel zou lusten, zou ik er nu eentje nemen, en een flinke ook! Helaas drink ik geen alcohol, en veel visite krijg ik ook niet. Dus om nu te zeggen dat mijn barkast boven vol alcoholische versnaperingen staat, is ook flink overdreven. Het enige wat ik in huis heb, is cola light en nog meer van dat spul. Maar op dit moment heb ik wel erg veel behoefte aan iets sterkers. Helaas zal ik het met een glas water moeten doen.
Ik plof neer op mijn kruk en kijk met verbazing, maar ook met een gevoel van trots, naar mijn werk. Daar ligt ze, Marion van der Laan. Haar ogen zijn gesloten. Gelukkig, want als ze nog open waren geweest, had ik me toch enigszins verplicht gevoeld ze te sluiten. Dat blijft mij dus bespaard. De hamvraag is: waar laat je zo snel een lijk op dit uur van de dag? Gelukkig is het avond, en ik ben in mijn praktijk, nou ja, onze praktijk, maar dat leg ik later nog wel uit.
Ik moet eerst zien dat ik het dode lichaam van Marion kwijtraak. Ze heeft alleen haar slip aan – wel van goede kwaliteit overigens. Het valt mij nu pas op dat ze een voorkeur heeft voor mooie lingerie. Haar beha mag er ook zijn. Ze is lang en tenger, dus niet zo zwaar om te verslepen. Ik weet niet zo veel van lijkstijfheid, maar ik moet dat lichaam wel zo snel mogelijk kwijt zien te raken.
Ineens schiet mij de oplossing te binnen: de vuilnisophaaldienst. Morgen worden de containers geleegd. Aangezien wij hier in een buurt met veel winkels en kantoorpanden zitten, zijn de containers daaraan aangepast. Ook onze praktijk heeft een grote container. Daar kan ze makkelijk in.

Maar eerst moet ik nog iets anders doen. Ik moet voor een waterdicht alibi zorgen. Ik pak de telefoon en toets het privénummer van Marion in. Ik krijg het antwoordapparaat, en dat spreek ik in. 'Dag, Marion, je spreekt met Else-Marie Verbeke. Volgens mijn agenda hebben we een afspraak, en ik zit nu al een tijdje op je te wachten. Wil je me, wanneer je dit bericht hoort, zo snel mogelijk terugbellen? Mocht er iets tussen gekomen zijn, dan wil ik dat graag weten. Ik blijf nog tot halfacht op je wachten, en dan sluit ik de praktijk. Mocht ik in de tussentijd niets van je hebben gehoord, dan kun je morgen bij Martine een nieuwe afspraak maken. Voor alle zekerheid laat ik ook een bericht achter op je mobiele nummer. Eens kijken of ik je daar te pakken kan krijgen.'
Ik leg neer en bel haar mobiele nummer. Daar krijg ik de voicemail, en die spreek ik ook in. Eigenlijk is dat nutteloos, want dat ding zit natuurlijk in haar tas, en die verdwijnt ook in de container. Maar je kunt nooit weten.
Ik besluit meteen tot actie over te gaan. Gelukkig is het geen koopavond, dus het winkelpersoneel is al naar huis. In het kantoorpand naast ons is de schoonmaakploeg ook al vertrokken. Ze beginnen stipt om vijf uur, en om halfzeven is iedereen weg. In het voorraadhok pak ik een vuilniszak, en daarin stop ik de kleren van Marion, haar schoenen en haar handtas. Ik leg er een stevige knoop in en neem meteen de andere vuilniszakken van onze praktijk mee. Achter ons pand hebben wij een tuin, en de vuilniszakken worden altijd op het terras neergezet. Het is mijn taak ervoor te zorgen dat ze bij de gemeenschappelijke container terechtkomen. Met een grote zwaai open ik de container: er komt me een vieze lucht tegemoet. In dit geval komt dat bijzonder goed uit. Ik kijk om mij heen. Het is al wat schemerig, en ook dat is een meevaller. Voordat we dit pand betrokken, was er een verbouwing nodig om alles in onze stijl te krijgen. We hebben veel zelf gedaan, en met hulp van vrienden van Yvonne en Annet. Als ik mij goed herinner, liggen er in het berghok nog een aantal van die grote vuilniszakken. Rustig loop ik erheen, en inderdaad, in het onderste gedeelte van de oude kast vind ik er nog twee. Mooi, daar kan ik Marion in stoppen, en dan hup, de container in met haar.
Kalm loop ik terug naar de praktijkruimte van Annet. Ik hoef me

niet te haasten, want Marion zal niet de kuierlatten genomen hebben. Ik klap haar lichaam dubbel en stop het in een zo'n grote zak. Met speciale tape, die ik ook in het berghok gevonden heb, plak ik alles dicht. Dan begint het gesjouw naar de container. Gelukkig heeft Annet haar praktijkruimte beneden. Ik hoef dus niet ook nog eens een trap af. Nu de tuin door. In het donkere steegje achter ons pand leg ik de vuilniszak met het lichaam in de container. Dan de andere vuilniszakken erop, en geen haan die ernaar kraait. Althans, dat hoop ik. Vroeg of laat zal de verdwijning van Marion aan het licht komen, maar dat is van later zorg. Toch zal ik blij zijn wanneer morgen de containers geleegd zijn. Ik moest daar wel aan wennen toen ik in Utrecht kwam wonen. Volle vuilniszakken die gewoon langs de kant van de straat werden gezet. Gelukkig kwamen net de containers voor winkels en bedrijven in zwang. Annet, die nogal van de hygiëne is, heeft er meteen werk van gemaakt dat wij ook een container kregen.
Ik loop terug naar binnen, sluit de deur achter me en loop meteen door naar de praktijkruimte. Daar ruim ik alles op. Niets verraadt meer de aanwezigheid van een cliënte. Wanneer alles is opgeruimd, vertrek ik naar mijn eigen etage. Ik bewoon de bovenverdieping van onze massagepraktijk. Ik maak mijn avondeten klaar. Een uurtje later zit ik te genieten van mijn spruitjes, aardappelen en een lekker stukje draadjesvlees.

De volgende morgen, bij onze dagelijkse werkbespreking, kijkt Annet mij aan. 'Hoe ging het gisteren met Marion?'
Zo nonchalant mogelijk probeer ik haar aan te kijken. 'Ze is niet komen opdagen. Ik heb nog geprobeerd haar op haar mobiele nummer te bereiken, en ik heb ook een boodschap ingesproken op het antwoordapparaat.' De verontwaardiging klinkt door in mijn stem. 'Ik hoop dat ze een geldig excuus heeft. Ik heb tot ongeveer halfacht op haar gewacht. Daarna heb ik alles afgesloten.'
Annet knikt goedkeurend. 'Dat uurtje zal ze toch moeten betalen. Martine!' Annet kijkt in de richting van onze praktijkassistente. 'Wil je daar een aantekening van maken? Het spijt me, Else-Marie, maar zodra ze de volgende keer weer bij mij komt, ga ik er iets van zeggen.'

Ik knik slechts. Ik vraag me af wie die rekening betaalt.
Tijdens onze gezamenlijke lunch begint Annet er weer over. 'Ik begrijp er niets van,' moppert ze, terwijl ze nog een bruine boterham pakt en deze dik met boter besmeert. 'Martine heeft vanmorgen geprobeerd Marion van der Laan te spreken te krijgen. Blijkt dat ze niet op kantoor verschenen is. En ook thuis is ze niet bereikbaar.'
'Misschien onverwachts op zakenreis?' opper ik.
Annet snuift minachtend. 'Marion? Op zakenreis? Wat moet een hoofd van een financiële afdeling nu op zakenreis doen?'
'Ergens een nieuw computersysteem bekijken?' denk ik weer met haar mee.
Weer die minachtende blik van Annet. 'Kom op, zeg. Zo'n hoge functie bekleedt ze nu ook weer niet...'
Yvonne mengt zich in het gesprek. 'Ik wil niet vervelend doen, maar als je hoofd van een financiële afdeling bent, heb je wel carrière gemaakt, naar mijn idee.'
Annet haalt haar schouders op. 'Nou ja, we zullen maar afwachten. We hebben in ieder geval een boodschap achtergelaten bij haar secretaresse.'
Daarmee is het onderwerp Marion van der Laan afgedaan.
Die middag worden de vuilniscontainers geleegd. Met een opgelucht gevoel hoor ik de vuilniswagen wegrijden. Er is niets meer wat aan Marion van der Laan herinnert.

HOOFDSTUK 2

In spanning wacht ik de volgende dagen af. Op een gegeven moment zal iemand Marion toch wel gaan missen, dacht ik zo. Ik moet er vaak aan denken, al probeer ik haar wel uit mijn hoofd te bannen. Mijn werk mag er immers niet onder lijden.
Een week nadat ik haar heb vermoord, krijg ik een telefoontje van Martine. 'Else-Marie, er zijn hier twee mensen van de recherche voor je. Ze willen je graag spreken over een cliënte.'
Ik had hen al verwacht, maar het komt nu wel erg ongelukkig uit. Over tien minuten heb ik mijn volgende cliënte, en zoals altijd wil ik de tussentijd graag benutten om haar dossier nog even door te nemen. 'Laat hen maar binnenkomen,' zeg ik tegen Martine.
Even later wordt er op mijn deur geklopt.
Ik sta op en doe open. 'Goedemorgen,' zeg ik vriendelijk knikkend, maar enigszins afstandelijk. 'Komt u verder.'
Twee mensen stappen mijn praktijkruimte binnen: een man en een vrouw. De man is in uniform, de vrouw is gekleed in een spijkerbroek en een colbertje. 'Ik ben Mariëtte Touw van de recherche, en dit is mijn collega Mark van der Klooster.'
Ik geef beiden een hand en bied hun een stoel aan. Ik verontschuldig me voor het feit dat hun bezoek niet gelegen komt. 'Over tien minuten verwacht ik mijn volgende cliënte, en voordat zij binnenkomt, neem ik haar dossier nog even door voor de behandeling. U wilde mij spreken over een cliënte, begreep ik van mijn assistente?' Vragend kijk ik mevrouw Touw aan. Volgens mij heeft zij de touwtjes in handen.
'Ja, dat klopt. Over mevrouw Van der Laan.'
Ik kijk haar verbaasd aan, terwijl ik haar rustig antwoord geef. 'Mevrouw Van der Laan? Die naam zegt mij niets. Volgens mij heb ik geen cliënte die zo heet. Ik zal even in mijn dossiers kijken,

en anders in de algemene dossiers.' Ik tik een aantal gegevens in. 'Helaas, zoals ik al dacht, zij behoort niet tot mijn cliëntenkring. Maar wacht eens even. Ik krijg een melding dat zij onder behandeling is bij Annet de Vries. Ik denk dat mijn collega u wel verder kan helpen. Ik weet niet of zij op dit moment in huis is, maar daarover kan Martine u alles vertellen. Zij beheert onze agenda's.'
Voor dit ogenblik zijn ze tevreden. Ze bedanken mij voor mijn tijd en vertrekken.
Mevrouw Vermeulen zit al op mij te wachten.
'Goedemorgen, mevrouw Vermeulen,' begroet ik haar hartelijk. 'Gaat u alvast maar naar binnen. Ik kom er zo aan.'
Terwijl mevrouw Vermeulen mijn praktijkruimte binnengaat, loop ik met mevrouw Touw en de heer Van der Klooster naar Martine toe. Ik leg haar uit dat ze eigenlijk voor Annet komen, en vraag of ze hen beiden verder wil helpen.
'Natuurlijk,' belooft Martine, en nieuwsgierig neemt ze hen op.
Ik loop terug en sluit de deur achter me. 'Zo, mevrouw Vermeulen, hoe gaat het nu met u?'

Natuurlijk komen ze terug. 'Ik wil uw vragen best beantwoorden,' antwoord ik ietwat gepikeerd. 'Maar ik heb nu eenmaal een praktijk, en ik kan mijn cliënten niet zomaar in de steek laten. Is het misschien mogelijk na vijf uur terug te komen? Ik wil ook wel naar het bureau komen, hoor. Dat is geen probleem.' Ik moet ze wel te vriend houden, anders maak ik mijzelf bij voorbaat verdacht.
Mariëtte kijkt haar collega aan. 'Ik kan vanavond niet. Wil jij het misschien overnemen?'
Mark knikt.
Ik zucht enigszins opgelucht. Die Mariëtte bevalt mij op een of andere manier niet. Te zakelijk, te hard. Ze zou een goede vriendin zijn voor Annet, bedenk ik ineens. Ik maak met Mark een afspraak dat ik om zeven uur die avond op het wijkbureau zal zijn.
'Hoelang gaat het duren?' vraag ik.
Mark haalt zijn schouders op. 'Dat is heel moeilijk te voorspellen.'
'Volgens mij stopt er een bus in de buurt?'
Beiden kijken mij vragend aan. 'Ik heb geen auto en ben dus af-

hankelijk van het openbaar vervoer. 's Avonds in m'n eentje op de fiets vind ik te gewaagd.'
'U hoeft zich geen zorgen te maken,' stelt Mark mij gerust. 'Desnoods breng ik u thuis. De politie is uw beste vriend, nietwaar?'
Ik heb daar zo mijn twijfels over. Ook Mariëtte is niet blij met de opmerking. Dat zie ik wel aan haar gezicht.

Precies om zeven uur sta ik op de stoep van het wijkbureau. Ik ben met de bus gekomen. In mijn tas heb ik het dossier van Marion meegenomen. Ik druk op de bel en wacht geduldig totdat er wordt opengedaan.
Mark zelf neemt mij mee naar een kamertje apart. 'Wilt u misschien koffie of thee?' vraagt hij beleefd.
Ik weiger, maar vraag of hij een glas water voor mij heeft.
Dat is geen probleem, en wanneer hij terugkomt met koffie en een glas water, heb ik het dossier van Marion al voor mij op tafel liggen. 'Ik heb een en ander nog met Annet besproken, en u hebt gelijk gehad. Marion is wel bij mij onder behandeling geweest, maar één of twee keer. Eigenlijk is zij een cliënte van Annet, maar soms, bij hoge uitzondering, nemen wij cliënten van elkaar over. In geval van ziekte en zo. Maar, als ik vragen mag, waarvoor zit ik eigenlijk hier? U moet het mij maar niet kwalijk nemen, maar het was vandaag nogal hectisch in de praktijk.'
Mark gaat achteroverzitten. 'Mevrouw Van der Laan is als vermist opgegeven. Eerst hebben we een onderzoek ingesteld bij de bank waar zij werkt, en wij hebben ook haar familie benaderd. Tijdens ons onderzoek kwam naar voren dat u het laatst contact met haar hebt gehad over een afspraak.' Mark maakt aantekeningen op een kladblok. 'Waarvoor was zij bij u onder behandeling?' is zijn eerste vraag.
Ik twijfel. 'Mag ik je Mark noemen? Dat 'u' en 'meneer' en 'mevrouw' staat zo plechtig,' vraag ik aarzelend.
'Geen probleem,' lacht Mark.
Ik haal opgelucht adem. 'Ik ben Else-Marie, hoor!' zeg ik lachend. Wat heeft hij een lekkere krullenbos, is een gedachte die ineens bij mij komt bovendrijven. Daar zou ik best eens met mijn handen doorheen willen woelen. Else-Marie, spreek ik mijzelf bestraffend

toe. Wel bij de les blijven. Dan begin ik te praten. 'Ik zal eerst onze werkwijze vertellen. Dan weet je een beetje hoe het bij ons gaat. Annet, Yvonne en ik hebben elkaar leren kennen tijdens onze opleiding. We hebben de opleiding in de avonduren gedaan. Overdag hadden we alle drie een baan. Annet komt oorspronkelijk uit het bankwezen. Daar heeft zij Marion van der Laan ook leren kennen. Zij is een vroegere collega van haar, en zij hebben altijd contact gehouden. Dat heeft Annet mij vanmiddag verteld. Yvonne kwam uit de gezondheidszorg, en ik heb altijd gewerkt als juridisch secretaresse. Van het begin af aan konden we goed met elkaar overweg en zaten we te dromen over ieder een eigen praktijk wanneer we ons diploma eenmaal hadden gehaald. Toen besloten we op een dag onze krachten te bundelen. Waarom – in plaats van ieder voor zichzelf – niet met z'n drieën? Met toch ieder ons eigen specialisme. Omdat we alle drie uit de buurt van Rotterdam kwamen, hebben we ons aanvankelijk daarop georiënteerd. Toen dat niet mogelijk bleek te zijn, hebben we voor Utrecht gekozen. Dankzij relaties van Annet konden we dit pand kopen. We zijn nu zo'n twee jaar geleden begonnen. We zitten nog steeds in een opbouwfase. Inmiddels hebben we alle drie hier in de stad woonruimte gevonden. Annet is het zakelijke brein achter alles, maar dat komt mede door haar achtergrond bij de bank.' Ik neem een slok water. 'Annet heeft de meeste cliënten meegebracht. Onze massagepraktijk loopt lekker, hoewel we natuurlijk altijd meer cliënten kunnen gebruiken. Sommige mensen komen bijvoorbeeld met reumatische aandoeningen. Anderen komen voor een ontspannende massage, weer anderen met sportblessures. Martine, onze assistente, werkt halve dagen. Als de zaken zich blijven ontwikkelen zoals nu, gaat ze binnenkort hele dagen werken. Het is voor ons bijna niet te doen dat we, terwijl er iemand op de behandeltafel ligt, ook nog de receptie in de gaten moeten houden en de telefoon moeten aannemen.'
Mark knikt begrijpend. 'Goed, Marion van der Laan is officieel onder behandeling bij Annet de Vries. Waarom heb jij haar de laatste keren behandeld, en niet Yvonne?'
Ik probeer een lach op mijn gezicht te toveren, maar dat lukt helaas maar half. 'Ik ben altijd de pineut bij dit soort dingen. Yvonne is getrouwd en heeft een druk privéleven. Annet is single, en ook zij

is een nogal drukbezet persoon, privé gezien dan,' vertel ik haastig verder. Dan valt er even een stilte. 'Ik ben gescheiden, kort voordat we aan *Iris* begonnen. Ik bezit een appartement boven de praktijk en ben dus altijd beschikbaar.' Er klinkt iets van bitterheid in mijn stem. 'Annet is de enige die ook 's avonds cliënten ontvangt. Dat doet ze één of twee keer per week. Af en toe komt er wel eens iets tussen, en dan ben ik de eerste aan wie ze vraagt of ik het van haar wil overnemen.' Dat ik daar niet altijd even veel zin in heb, vertel ik maar niet. 'Ik kan moeilijk nee zeggen,' verontschuldig ik mijzelf. 'Dat was ook zo met Marion. Zij heeft nogal een verantwoordelijke baan, en ze kwam bij Annet voor een wat meer ontspannende massage, om de stresspunten in haar lichaam weg te werken. En op die manier bleef Annet ook een beetje op de hoogte van wat er in haar vroegere werkkring speelde. Maar dat heeft zich allemaal buiten mijn gezichtsveld afgespeeld.'
Mark kijkt op van zijn aantekenblok. 'Waarom kon Annet haar niet behandelen?'
Ik aarzel, en dat valt hem op. 'Alles wat je zegt, wordt vertrouwelijk behandeld, hoor,' stelt hij mij gerust.
'Dat mag ik hopen,' probeer ik er een grapje van te maken. 'Weet je, het is nogal een, ja, wat moeilijke en ingewikkelde kwestie.' Toch besluit ik open kaart te spelen. 'Zegt de naam Bob Petersen je iets?'
Mark kijkt me verbaasd en vermoeid aan. 'Die naam kan ik niet meer horen. Houd er alsjeblieft over op. Dat is weer een acteur die het op z'n oude dag op zijn heupen krijgt en zo nodig een speelfilm wil maken. Ik gun die man van harte een Gouden Kalf, hoor, maar moesten die opnamen nu per se hier in Utrecht worden gemaakt? Straten moesten worden afgezet, het verkeer moest worden omgeleid. We hebben met heel ons korps nog nooit zo veel werk gehad. Gelukkig zijn de opnamen nu bijna klaar, heb ik begrepen. Echt, we kijken met ons allen uit naar het moment dat die man weer naar zijn villa in Huizen vertrekt, of weet ik veel waar hij woont.' Het blijft even stil, maar dan vraagt Mark nieuwsgierig: 'Wat heeft Bob Petersen hiermee te maken?'
'Alles,' antwoord ik op nuchtere toon. 'Met Bob is het allemaal begonnen.'

HOOFDSTUK 3

'Zegt de naam Bob Petersen je iets?' Vragend kijkt Yvonne me aan.
Ik haal mijn schouders op. We zitten gezellig aan de keukentafel, en ik pijnig intussen mijn hersenen waar ik die naam eerder heb gehoord. Er gaan in mijn hoofd geen alarmbellen rinkelen. 'Geen idee,' antwoord ik dan ook naar waarheid. 'Is die man soms een nieuwe cliënt?' Boven mijn thee kijk ik Yvonne vragend aan.
Ze schudt haar hoofd, terwijl ze een flinke schep suiker in haar thee doet. 'Joh, je kent hem vast wel. Het is een acteur. Een van het soort waar jij zo van houdt.'
Mijn nieuwsgierigheid is gewekt. Maar hoe ik ook denk en probeer de beste man thuis te brengen, het lukt mij niet.
Yvonne lacht geheimzinnig. Ze heeft er duidelijk plezier in mij te laten raden.
'Ik geef het op,' zucht ik ten slotte. 'Ik weet het niet. Zo veel goede acteurs hebben we hier niet in Nederland. Kom dus maar op met je antwoord.'
Nog steeds geeft Yvonne haar geheim niet prijs. 'Toe nou, Else-Marie, een beetje beter je best doen,' gaat ze plagend verder.
Ik denk hardop met haar mee. 'Peter Tuinman, Frederik de Groot, Rutger Hauer, Hidde Maas, allemaal acteurs van groot kaliber, maar Bob Petersen zegt me echt niets, hoor.'
'Goed, ik zal je op weg helpen.' Yvonne noemt een aantal films die ik inderdaad heb gezien. Ook geeft ze een aantal namen van series, maar nog steeds kan ik de naam niet thuisbrengen. Rustig en bedaard gaat Yvonne verder met het opsommen van rollen die Bob Petersen gespeeld heeft.
Dan begint het langzaam tot me door te dringen. 'O, is dat Bob Petersen?' Met een klap zet ik mijn mok thee op tafel neer. Er valt

even een stilte. 'Het is dat je die filmrollen opnoemt. Anders had ik hem nooit thuis kunnen brengen.' Even ben ik terug in het verleden. Dan weer in het heden. Nog steeds nieuwsgierig wat Bob Petersen met ons van doen heeft, buig ik mij over de tafel. 'Nu moet je me niet langer in spanning houden. Wat is er zo bijzonder aan die Bob, en wat heeft hij met ons te maken?'
'Alles,' grijnst Yvonne van oor tot oor. 'Je zult hem hier nog vaak aantreffen.'
Vragend trek ik mijn wenkbrauwen op.
'Punt één: hij is de nieuwe vriend van Annet. Punt twee: binnenkort worden hier in Utrecht opnamen gemaakt voor zijn eerste speelfilm. Hij maakt namelijk zijn debuut als regisseur.'
Dit nieuws moet ik even tot mij laten doordringen. Dat Annet een nieuwe vriend heeft is geen nieuws. Zij verkeert in wat je noemt 'de hogere kringen', en regelmatig krijgen we het bericht dat ze een nieuwe vlam heeft. Meestal een bekende Nederlander. Iedere keer gelooft ze, of ze trapt erin, het is maar hoe je het bekijkt, dat die man zijn vrouw voor haar zal verlaten. Dan droomt ze van een toekomst samen met hem in een villa in Blaricum of Hilversum. Als puntje bij paaltje komt, kiest die man toch voor zijn echtgenote, en blijft Annet met een gebroken hart achter. In de bladen verschijnt dan het verhaal van een stralende man met dito echtgenote aan zijn zijde met een verhaal dat ze een huwelijkscrisis hebben overwonnen. Annet heeft dan het nakijken. Sceptisch kijk ik dan ook Yvonne aan. 'Die Bob is zeker getrouwd,' kan ik niet nalaten sarcastisch op te merken.
Omdat Yvonne net een slok neemt, knikt ze alleen maar. 'Het blijkt echt serieus te zijn,' probeert ze Annet te verdedigen.
Mijn gezicht spreekt boekdelen. 'Houd jezelf toch niet voor de gek. Je weet toch hoe het altijd gaat met Annet. Ze wordt hopeloos verliefd, ze krijgt een relatie, en na verloop van tijd kiest haar grote liefde toch voor zijn huwelijksgeluk.'
Yvonne is door mijn reactie toch even van haar stuk gebracht. 'Ik weet het niet,' antwoordt ze dan ook aarzelend. 'Volgens mij is het toch serieus, hoor.'
Ik krab eens achter mijn oor. 'Ik wil niet vervelend doen, maar die Bob is toch wel een ietsepietsie ouder dan zij?'

Yvonne lacht. 'Daar heb je een punt. Ze schelen twintig jaar.'
Mijn ogen worden zo groot als schoteltjes. 'Hij had haar vader kunnen zijn,' is alles wat ik nog kan uitbrengen.
Yvonne weet nu ook niet meer hoe ze het heeft. 'Ze selecteert ze wel op leeftijd. Als ik haar was, zou ik nu eens een jonger exemplaar kiezen.'
Ik schud mijn hoofd. Er valt een geladen stilte. Ergens doet het me pijn dat Annet me niet in vertrouwen heeft genomen over haar nieuwe liefde, en Yvonne wel. Gewoonlijk weet ik alle details van haar liefdesleven, en deze keer moet ik het van Yvonne vernemen. Ik zeg dit ook tegen haar.
Yvonne kijkt mij met een schuldige blik aan. Dan begint ze voorzichtig: 'Ik vermoed dat ze je niet wilde kwetsen.'
'Wilde kwetsen? Kwetsen?' Ik stik bijna in mijn verontwaardiging. 'Wat nou kwetsen? We zijn toch vriendinnen? We delen altijd alles met elkaar. Wat is dit nu voor onzin?'
'Annet dacht dat je er misschien moeite mee zou hebben. Bob is tenslotte getrouwd...'
Daar wringt dus de schoen. Op een hatelijke manier schiet ik in de lach. 'O ja, die arme Else-Marie, die ook aan de kant is gezet door haar Bram. Nee, we moeten haar een beetje ontzien. Dat helpt.'
Yvonne is geschrokken van mijn woede-uitval. Ze weet met haar houding geen raad. 'Else-Marie ...' reageert ze zacht.
Maar ik weet van geen ophouden. Het einde van het liedje is dat ik zowat in een hysterische huilbui uitbarst.
Yvonne laat me rustig uithuilen. Daarna begint ze voorzichtig te praten. 'Annet en ik weten best dat het allemaal nogal gevoelig ligt. We hebben alles van dichtbij meegemaakt, weet je nog? Je kunt het Annet dan ook niet kwalijk nemen dat ze je nu een beetje ontziet. Dat jij dat anders opvat, daar kan zij ook niets aan doen. Maar neem van mij aan, er zaten geen kwade bedoelingen achter.'
Ergens moet ik Yvonne wel gelijk geven, maar toch, diep vanbinnen doet het pijn. Meer dan ik zelf wil toegeven. Met een gekwetste blik kijk ik Yvonne aan, die schuldbewust haar hoofd wegdraait. Ik snik nog wat na. Zo zitten we een tijdje bij elkaar, ieder met haar eigen gedachten.

Een paar dagen later vraagt Annet of het mogelijk is dat we na kantoortijd wat langer blijven. Geen probleem, en wanneer Martine naar huis vertrokken is, komen we bij elkaar in de keuken. Yvonne heeft verse koffie en thee gezet en schenkt voor ons drietjes in. Afwachtend kijk ik van de een naar de ander, en wanneer Yvonne ook heeft plaatsgenomen, steekt Annet van wal.
Ze windt er geen doekjes om. 'Else-Marie, ik wil je iets vertellen.'
Nog steeds afwachtend kijk ik haar aan.
'Ik heb een nieuwe relatie, en deze keer is het behoorlijk serieus.'
Mijn gezicht verraadt niets, maar ik bedenk hoe vaak ik dit al niet heb gehoord.
'Mijn nieuwe vriend heet Bob Petersen. Zegt die naam je iets?'
Ik wil Yvonne niet verraden en sein met mijn ogen naar haar.
Yvonne geeft mij bijna onmerkbaar een knikje.
'Ik heb geen idee,' zeg ik zogenaamd verbaasd.
Annet trapt erin en begint meteen opgewonden te vertellen. Dat ze op een feestje met hem heeft kennisgemaakt. Dat ze in eerste instantie niet wist wie hij was.
Ja ja, denk ik achterdochtig, dat moet ik geloven.
Dat hij nadat ze een paar keer met hem gedanst had, vertelde dat hij acteur in ruste was. 'Maar dat was dus wel eventjes vóór mijn tijd,' besluit Annet haar verhaal.
'Hij is dus wel wat ouder dan jij?' vraag ik fijntjes.
Even krijgt Annet een donkere blik in haar ogen, maar dan begint ze weer te ratelen. Dat die Bob haar overlaadde met geschenken en met bloemen en met telefoontjes. Dat ze eerst de boot had willen afhouden, maar dat ze ten slotte toch gezwicht was voor zijn charmes.
Het is altijd hetzelfde verhaal, en langzamerhand komen die verhalen mij nu wel de strot uit. Maar ik blijf geïnteresseerd naar Annet kijken en luisteren, terwijl het me geen mallemoer interesseert.
'Er is één probleem,' antwoordt Annet, terwijl ze mij onschuldig aankijkt.
'Laat me raden.' Er klinkt een sarcastische ondertoon in mijn stem. 'Hij is nog getrouwd?'
Annet heeft het niet door, of anders laat ze het niet blijken. 'Inderdaad,' zucht ze weer, een beetje op een dramatische manier.

Mijn hemel, bedenk ik, je kunt zo bij het toneel. Je wordt meteen aangenomen en je bent de ster van de show. 'Zijn vrouw...?' vraag ik aarzelend verder.
'Zij weet het nog niet, maar Bob wil van haar scheiden en dan met mij verder gaan.' Dromerig kijkt ze me aan. 'Hij heeft al een leuke villa op het oog in Loenen.'
Toe maar, in Loenen nog wel. Moet ik haar nu feliciteren of niet? Verwachtingsvol kijkt Annet me aan, en ik werp haar een warme blik toe. 'Ik hoop echt dat je gelukkig wordt met Bob. Je hebt het verdiend.' Voor mijn gevoel komt het wat krampachtig uit mijn mond.
Annet kijkt me echter stralend aan. 'Dank je wel. Ik vond het zo moeilijk je dit te vertellen, na alles wat je hebt meegemaakt met Bram. Nee, Bob is de liefde van mijn leven. Geen twijfel mogelijk. Wanneer eenmaal zijn echtscheiding achter de rug is, ben ik de gelukkigste vrouw van deze wereld. Dan zijn we echt samen, en mag de hele wereld meedelen in ons geluk.'
Ik tover een glimlach op mijn mond. Annet vertelt nog het een en ander over Bob, maar mijn gedachten dwalen af. Die verhalen heb ik al zo vaak gehoord.
'Je zult hem nog vaak zien...' Annet gaat onverstoorbaar verder.
Ik schrik op uit mijn gedachten. Hoeveel van haar verhaal heb ik gemist? Wanhopig kijk ik naar Yvonne.
Die valt Annet in de rede en redt mij zo uit een netelige situatie. 'Komt hij nu iedere middag hier zijn boterhammen opeten?' is haar vraag.
Annet krijgt een kleur. 'Nee, dat bedoel ik niet. Binnenkort starten de opnamen van zijn nieuwe film, en dat geeft ons de mogelijkheid elkaar weer te zien. We willen onze relatie geheim houden, omdat zijn vrouw nog van niets weet.'
Aardige vent, die Bob, is mijn eerste gedachte. 'Speelt hij mee in een nieuwe film?' vraag ik aarzelend. Ik ben niet zo goed op de hoogte van wat er allemaal speelt in de Nederlandse showbizz.
'Je hebt me verkeerd begrepen. Bob is bezig met zijn eerste film als regisseur.'
Schaapachtig kijk ik Annet aan. 'Een deel van de opnamen wordt hier in Utrecht gedraaid.'

Ach, op die manier. Ineens dringt het tot mij door dat Yvonne mij dit ook al heeft verteld. Wat een warhoofd ben ik toch de laatste tijd. Ik ben wel nieuwsgierig naar de titel van de film.
Annet is helemaal in de wolken, want het is een roman van een van haar lievelingsschrijfsters.
Ik lees ook veel, maar de titel die ze noemt, zegt me niets.
'Het is een debuutroman, en de vrouw van Bob kwam ermee aanzetten. Hij heeft het boek ook gelezen en was meteen verkocht. Hij heeft de filmrechten gekocht en zodoende.'
De eerstvolgende keer dat ik in de bibliotheek ben, zal ik eens kijken of ze dat boek ook hebben.
'Inmiddels is er ook een tweede deel van haar verschenen. Dat is ook zo goed.' Annet zit wel op haar praatstoel vandaag. 'Bob is zo enthousiast dat hij, als deze film goed loopt, ook het tweede deel wil verfilmen. Hij heeft al een optie genomen op de filmrechten.'
Nou, die Bob is goed bezig, moet ik toegeven. Voor een man van zijn leeftijd, denk ik er sarcastisch achteraan.

HOOFDSTUK 4

Met een mok thee staar ik uit het raam. Het regent al de hele dag, en nu het tegen het eind van de middag loopt, ziet het ernaar uit dat het begint op te klaren. Ik zucht. Er wacht weer een lange avond op mij. Heel de dag is het bedrijvig en druk in deze buurt, maar zodra de winkels gesloten zijn en het kantoorpersoneel naar huis is gegaan, is het over en uit. Dan is de buurt uitgestorven. Er worden niet veel appartementen boven de winkels bewoond. Meestal worden ze gebruikt als opslagplaats. Er zijn er wel een paar bewoond, maar die liggen aan de andere kant van de weg, dus buiten mijn gezichtsveld. Ik zie ertegen op. Vreemd, vroeger verlangde ik zo vaak naar stilte. Rust, heerlijk. Zeker na een dag hard werken. Nu benauwt diezelfde stilte me soms, en vliegt alles me naar de keel. Weer zucht ik. Wat klaag ik nu eigenlijk, vraag ik me af. Een goedlopende praktijk met mijn vriendinnen nog wel. Dat is toch altijd onze wens geweest? Dat is lang geleden, denk ik met enige bitterheid. Toen zaten we nog op de opleiding en konden we eindeloos fantaseren wat we zouden doen wanneer we eenmaal het felbegeerde papiertje op zak zouden hebben. Natuurlijk, een eigen praktijk, liefst midden in het land en alle drie ons eigen specialisme. Die droom is uitgekomen. Maar dan niet met Bram aan mijn zij, denk ik er meteen achteraan. Ik voel dat er een huilbui aan zit te komen. Ik kan hier in de keuken niet zomaar in tranen uitbarsten, al heb ik wel het gevoel dat het me goed zal doen. Straks, wanneer ik boven ben, in mijn eigen appartement, mogen ze komen. Al die tranen waarmee ik de laatste tijd zo vaak worstel.

Ik ben zo in gedachten dat ik niet merk dat de keukendeur opengaat, en Yvonne binnenkomt. Ik merk ook niet dat zij mij aandachtig opneemt en met een vragende blik op me afkomt. Ik schrik wanneer zij ineens een arm om mij heen slaat.

'Vertel het eens. Wat is er aan de hand?'
Ik kijk haar kant uit. 'Niets, hoor,' houd ik mij groot. 'Er is helemaal niets aan de hand.' Ik hoor zelf een bibberende ondertoon in mijn stem en hoop in stilte dat Yvonne het niet doorheeft. Daarin vergis ik mij.
'Er is wel iets. Vanmiddag tijdens de lunch was je ook al zo stil. Je tobt ergens over. Kom op, Else-Marie, ik ken je nu langzamerhand goed genoeg om te weten dat er iets is. Gooi het eruit. Spui maar. Je moet het niet opkroppen. Daar krijgt een mens alleen maar last van.'
De huilbui die ik zo graag voor thuis had willen bewaren, krijgt nu alle gelegenheid om naar buiten te komen.
Yvonne draait me om, en samen nemen we plaats aan de tafel.
Ik sla mijn handen voor mijn gezicht. Wanneer ik enigszins tot bedaren ben gekomen, vertel ik wat er scheelt. 'Ik voel me zo eenzaam. Jij hebt Linda. Annet heeft Bob. Ik heb niemand. Het is allemaal zo tegengevallen hier in Utrecht. Niet dat ik terugverlang naar Rotterdam of naar Zeeland. Maar jullie hebben hier vrienden gemaakt. Ik weet wel, dat komt mede doordat Linda en jij nog kinderen hebben. Die nemen vrienden en vriendinnen mee. Jij komt in aanraking met andere ouders op school, in sportclubs en weet ik al niet meer. Annet heeft een sociaal leven waar je u tegen zegt. Maar ik heb niemand. Het enige uitje dat ik heb, is één keer in de week naar de bibliotheek, en veel aanspraak heb ik daar ook niet. Neem nou vanavond. Over een uurtje zit ik weer alleen achter mijn bord met aardappelen, een balletje gehakt en andijvie. Gezellig, hoor. Dan ligt er weer een hele lange avond voor me, waarvan ik echt niet weet hoe ik die moet doorkomen. Ik kan toch moeilijk iedere week mijn servieskast schoonmaken of mijn badkamer een goede beurt geven. De muren komen vaak op me af daarboven. 's Zomers gaat het nog wel. Dan kan ik op mijn balkon zitten, mijn bloemen- en plantenbakken bijhouden en zo. Maar de winteravonden zijn zo lang. Ik heb niet altijd zin in lezen of borduren. Trouwens, op een gegeven moment weet je ook niet meer wat je moet borduren, want ik heb geen muren meer om alles op te hangen. Linda en jij hebben jullie ouders nog, broers en zussen. Ik heb niemand.' Uit drift en woede bal ik mijn vuisten. 'Ik

heb niemand. Ik ben helemaal alleen op deze wereld. Hebben jullie er weleens over nagedacht dat er, als ik naar Zeeland vertrek, daar alleen maar twee grafstenen op mij liggen te wachten? Dat ik, wanneer ik thuiskom, weer alleen ben? Nooit eens iemand aan wie ik mijn verhaal kan doen? Een schouder waartegen ik kan uithuilen wanneer ik het moeilijk heb? Om over seksuele intimiteit maar te zwijgen.' Weer komen de tranen. Uit mijn ooghoeken zie ik nog net dat Yvonne mij geschrokken aankijkt. Ze is lijkbleek geworden van mijn uitbarsting. 'Het spijt me,' mompel ik zachtjes.

Het blijft een tijdje stil, maar dan begint Yvonne te praten. Ze slaat weer een arm om mij heen. 'Else-Marie...' begint ze op zachte toon.

Ik leg mijn hoofd tegen haar schouder

'Het spijt me vreselijk, maar daar hebben we nooit bij stilgestaan. Linda en ik niet, en ik weet zeker dat Annet daar ook nooit over heeft nagedacht. Inderdaad hebben Linda en ik een heel netwerk om ons heen, zoals je aangeeft, mede door onze kinderen. Om maar te zwijgen van Annet. We hebben je lelijk in de steek gelaten, nu ik het zo bekijk. Je weet toch dat je altijd bij ons kunt aankloppen?'

Hoor ik daar nu een stil verwijt in haar stem? 'Houd toch op,' antwoord ik scherp, scherper dan eigenlijk de bedoeling is. 'Jullie hebben een eigen leven, en dan ook nog eens 's avonds met een collega opgescheept zitten, dat is gezellig!'

Yvonne krijgt een kleur. 'Zo bedoel ik het niet, en dat weet je best. Ik kan nu wel allerlei oplossingen aandragen, maar het feit ligt er wel dat je meer onder de mensen moet komen. Het is ook een probleem dat jij hobby's hebt waarvoor je de deur niet uit hoeft. Misschien moet je eens een cursus volgen of zoiets. Hebben ze in de bibliotheek niet een leesclub of zo? Dat vind ik echt iets voor jou.'

'Wel ja,' vul ik op spottende toon aan. 'Een cursus pottenbakken of zo. Natuurlijk kan ik wel alleen naar de film of naar het theater. Maar altijd alleen... Terwijl het juist zo leuk is zoiets samen met iemand te doen.' Ik haal mijn schouders op. 'In het begin deed ik dat weleens, en ook ging ik nog weleens uit eten. Maar de lol is

er snel af, hoor, als je in het restaurant in je eentje naar het stukje vlees op je bord zit te staren.'
'Maar als je nu bij ons komt...' begint Yvonne weer.
Ik val haar in de rede. 'Dan voel ik me net als het vijfde wiel aan de wagen. Dan speelt de jaloezie ook weer op.'
Yvonne kijkt me niet-begrijpend aan.
'Ik zou ook best weer een relatie willen hebben. Ik ben jaloers op jullie geluk, ook al weet ik dat jij en Linda het ook niet cadeau hebben gekregen. Ik gun het jullie, hoor, echt. Ik ben zelfs jaloers op Annet, terwijl we allebei heel goed weten dat die Bob Petersen haar over een tijdje toch weer dumpt.' Met een vertwijfeld gebaar strijk ik door mijn haar. 'Ik probeer alles van de positieve kant te bekijken. Ik ben nu eenmaal een mens van 'tel je zegeningen'. Maar deze keer lukt het mij gewoon niet.' Mistroostig kijk ik Yvonne aan. 'Soms zou ik terug willen kruipen naar Rotterdam. Weer een normale baan als secretaresse, met leuke en gezellige collega's. Niet die verantwoordelijkheid die we nu hebben als werkgevers.'
Yvonne luistert aandachtig.
'Denk jij daar nu nooit eens over na?' Wanhopig kijk ik Yvonne aan, die nonchalant haar schouders ophaalt.
'Eigenlijk niet, want zolang Annet hier stevig de touwtjes in handen heeft, wat het zakelijke gedeelte betreft, maak ik mij daar echt geen zorgen over. Dat zou jij ook meer moeten doen. Geen zorgen voor morgen. Iedere dag heeft genoeg aan zijn eigen kwaad.' Een echo uit het verleden komt bij me boven. Dat zei mijn moeder ook altijd wanneer ik aankwam met iets wat voor mij belangrijk was. Een bitterzoete herinnering, die ik probeer snel van mij af te schudden.

Wanneer we op een middag gaan lunchen, zie ik dat er voor een persoon extra is gedekt. Ook is er veel aandacht besteed aan de manier waarop alles is klaargezet. We verwachten dus iemand. Het komt niet in mijn hoofd op dat dit weleens de eerste kennismaking met Bob Petersen kan worden. Dat wordt het dus wel. Want net wanneer ik wil plaatsnemen, komt een stralende Annet binnen, met achter haar aan een lange man. Bijna op het magere af. Achter hem komen Yvonne en Martine binnen.

Annet wacht totdat iedereen zit en gaat dan naast Bob staan. 'Dit is Bob,' zegt ze trots, terwijl ze iedereen aan hem voorstelt.
Ik probeer aardig tegen hem te zijn, maar op een of andere manier lukt dat niet.
Bob blijkt een gezellige prater te zijn en vertelt de ene anekdote na de andere uit zijn roemrijke carrière.
Het gaat bij mij het ene oor in en het andere weer uit. Ondertussen vraag ik mij af waarom ik zo afstandelijk ben. Bob heeft mij nooit iets misdaan. Waarom kan ik dan niet zo spontaan en hartelijk zijn als Yvonne en Martine? Heeft dit dan toch nog alles met Bram te maken? Dat is toch een absurde gedachte, bedenk ik opeens. Bram en Bob hebben niets met elkaar gemeen. Waarom dan toch dat gevoel? Afwezig roer ik met mijn lepel in mijn mok. Op een gegeven moment valt er een stilte. Plotseling merk ik dat iedereen mij vragend aankijkt. Ik weet niet waar ik kijken moet.
Dan zegt Yvonne: 'Else-Marie, je roert met je lepel in je thee.'
Nog steeds afwezig kijk ik haar aan, totdat haar woorden tot mij doordringen. Ik gebruik geen suiker in mijn thee. Ik mompel een excuus dat het nogal een hectische morgen is geweest. Bob kijkt me doordringend aan, en ik word vuurrood onder zijn blik. Dat blozen van mij altijd. Als daar nog eens een therapie voor zou bestaan, zou ik als eerste in de rij staan om ervan af te komen. Verlegen kijk ik naar mijn bord. Wanneer ik opkijk, hoor ik dat Bob de draad van het gesprek weer heeft opgepakt. Opgelucht haal ik adem, en gedachteloos neem ik nog maar een boterham. Na de lunch moet Bob er snel vandoor. Zoals het een echte heer betaamt – dat is hij wel, moet ik toegeven –, geeft hij iedereen een hand als afscheid. Mij als laatste. Weer die doordringende blik waar ik mij zo ongemakkelijk onder voel.
'Het was mij een genoegen met je kennis te maken, Else-Marie,' zegt hij op hartelijke toon.
Wat flauwtjes glimlach ik terug. 'Tot ziens, Bob.'
Hij houdt mijn hand langer vast dan eigenlijk de bedoeling is, en weer is die doordringende blik op mij gericht.
Vent, laat mijn hand los en hoepel op, denk ik. Ik trek mijn hand terug. Eerlijk gezegd hoop ik hem weinig te zien. Ik slaak een zucht van opluchting wanneer Bob met Annet meeloopt.

Yvonne en Annet houden woord. Ze proberen mij op allerlei manieren uit mijn isolement te halen. Zo ga ik nu één keer in de week met Yvonne mee naar huis om te eten. Het is daar zo'n gezellige boel. Sinds Yvonne met Linda is gaan samenwonen, hebben ze samen een soort boerenhuis gekocht in de buurt van IJsselstein. Daar zit nog een verhaal aan vast, dat ik eerst moet vertellen.
Zowel Linda als Yvonne is eerder getrouwd geweest met een man. Voor allebei was dit hun eerste huwelijk. Linda heeft net als Yvonne drie kinderen gekregen. Na verloop van tijd kwamen beiden erachter dat zij toch meer om vrouwen gaven dan om mannen. Allebei hebben ze er na een zeer lange strijd en worsteling voor gekozen te gaan scheiden. Ze hebben elkaar via een besloten Vrouwenforum leren kennen. Beiden hadden op dat moment een relatie achter de rug, en er was nog veel verdriet en pijn. Ze zochten steun bij elkaar, en van het een kwam het ander. Het mondde dus uit in een liefdesrelatie, en nu wonen ze samen. Met zes kinderen is het altijd een drukte van belang. Ook al hun vrienden en vriendinnen zijn van harte welkom. Bij Linda kan altijd alles, en dus is het daar net de zoete inval. Dat is ook de naam die ze hun huis hebben gegeven. Ik kijk ernaar uit, naar dat wekelijkse etentje. Linda kan heerlijk koken en maakt dan ook altijd mijn lievelingskostje klaar.
Met Annet is het anders. Annet heeft stijl, niveau, klasse of hoe je het ook noemen wilt. Dus dat wordt beslist geen snelle hap bij de snackbar. Als we uit eten gaan, is het meestal in een restaurant. Ik wil zo graag naar het theater, een concert of een toneelstuk. Dat doen we, en dan klikt het wel. Het lijkt er soms op dat we elkaar op zakelijk gebied een beetje in de weg zitten, maar privé kunnen we het prima met elkaar vinden. Dus mijn culturele belangstelling wordt op deze manier ook gevoed. We besluiten een seizoenkaart aan te schaffen voor het theater. Samen zoeken we een aantal concerten en toneelvoorstellingen uit. De data zijn al ver van tevoren bekend, waardoor we de beste plaatsen hebben. Zo zijn mijn avonden ook weer gevuld. We blijken meer gemeen te hebben dan je zo op het eerste gezicht zou zeggen. Ik geniet al bij voorbaat van onze avondjes uit. Zo kom ik toch ook wat meer onder de mensen. Zolang als het duurt tenminste. Want ook Bob vraagt natuurlijk de nodige aandacht van Annet. De echtscheiding is er nog

niet door, begreep ik van Yvonne toen ik er voorzichtig naar vroeg. Zelf praat Annet er niet al te veel over. En het haar vragen durf ik niet zo goed. Want ze heeft al zo veel teleurstellingen meegemaakt in het verleden. Ik wacht maar totdat Annet er zelf over begint, maar ik heb er een hard hoofd in dat zij met Bob een toekomst heeft.

'Else-Marie, heb je even?'
Ik heb mijn voet al op de eerste trede van de trap gezet om naar mijn appartement te gaan. Het is een vermoeiende dag geweest, en ik ben moe. Ik verheug mij erop vanavond met een goed boek op de bank te kruipen. Er was een wachtlijst bij de bibliotheek voor het boek van ene Els. Het duurde dus even voordat ik het in huis had. Verleden week kwam het verlossende bericht dat de roman voor mij klaarlag bij de balie. Het boek dat Bob aan het verfilmen is. Ik wilde er net vanavond in gaan beginnen, maar nu ik Annet zo opgewonden hoor, weet ik dat het me niet gegund is.
Annet dendert door als een trein. 'Wil jij vanavond een tweetal cliënten van mij overnemen?'
Ik kijk haar vermoeid aan en wil tegensputteren. Maar het heeft geen zin. Hier ben ik niet tegen opgewassen.
'Bob is vanavond in Utrecht, en dan kan hij nog net een paar uur bij mij doorbrengen. Alsjeblieft, voor deze ene keer...'
Hoe vaak heb ik deze smeekbede al niet gehoord? En iedere keer weer trap ik er nog in ook. Maar wie ben ik om het prille geluk van Annet en haar Bob te verstoren? Ik knik dan ook alleen maar.
'De dossiers liggen op mijn bureau. De eerste komt om zeven uur.'
'Annet, wil je voortaan...' probeer ik, maar het is tevergeefs.
'Dank je wel, hoor. Als ik iets voor je kan doen, moet je het maar zeggen, hoor.' Annet geeft mij een handkus in de lucht en slaat dan de deur achter zich dicht.
Ik heb het nakijken, en de woorden die ik had willen zeggen, slik ik maar in. Nog twee uur voordat de eerste cliënt van Annet zich aandient. Net tijd genoeg om mijn avondeten klaar te maken en mijn post door te nemen. Van lezen zal wel niet veel meer komen. Met een diepe zucht neem ik de trap naar boven. Onder het klaarmaken van mijn maaltijd merk ik dat ik woedend ben op Annet.

Het is namelijk niet de eerste keer dat dit gebeurt. Het komt regelmatig voor, zeer regelmatig zelfs, dat ik 's avonds cliënten van Annet overneem, zeker nu zij weer een relatie heeft. Natuurlijk, Yvonne heeft een gezin dat op haar wacht. Daar heb ik alle begrip voor. Maar dat ik altijd en eeuwig de cliënten van Annet moet opvangen omdat zij zo nodig haar vriend wil zien, ben ik een beetje beu. Durfde ik er nu maar iets van te zeggen. Bij Yvonne hoeft zij dit niet te proberen. Die is net als Annet goed van de tongriem gesneden. Ik ben echter zo'n doetje dat over zich laat lopen. Met een nijdig gebaar gooi ik de laatste aardappel in de pan. Het water spat eroverheen. Ik moet er iets aan doen. Ik heb het druk genoeg met mijn eigen cliënten. Wie komt er dan ook op het idee ook 's avonds praktijk te houden. Ik niet in ieder geval. Mijn handen moeten ook rusten. Verlangend kijk ik naar het boek dat op de salontafel ligt. Morgen dan maar.
Precies om zeven uur gaat de bel. Een jonge man staat op de stoep. Met een teleurgestelde blik in zijn ogen kijkt hij mij aan. Ik leg uit dat mevrouw De Vries onverwacht is verhinderd en dat we geen tijd meer hadden om hem te bereiken.
Even aarzelt hij.
Ik hoop dat hij antwoordt dat hij dan wel een andere afspraak maakt. Maar nee, hij komt binnen, en ik loop voor hem uit naar de praktijkruimte van Annet.
De man heeft geen bijzondere klachten en komt voor een ontspannende massage. Hij zegt niet veel.
Gelukkig maar, want voor praters ben ik beslist niet in de stemming. Ik zet wat klassieke muziek op, voor de nodige ontspanning.
Nog geen tien minuten later ligt de man heerlijk weg te doezelen. Om acht uur wordt er een vrouw verwacht. Vluchtig neem ik haar dossier door. Ook zij komt voor een ontspannende massage. Haar naam is Marion van der Laan. De naam komt mij ergens bekend voor, maar veel aandacht besteed ik er niet aan. Ze is hoofd van de financiële afdeling van de bank waar Annet eerst heeft gewerkt. Daar zal het wel door komen, bedenk ik. Er zijn veel vroegere collega's van Annet die onze praktijk bezoeken. Ik blijf het maar een vreemde bedoening vinden. De meesten van haar collega's komen

uit Rotterdam en omstreken. Dan helemaal naar Utrecht reizen voor een massage, terwijl er in Rotterdam ik weet niet hoeveel massagepraktijken bestaan. Deze vrouw woont echter ook in Utrecht, lees ik. Nog even volhouden, spreek ik mijzelf moed in. Als zij net zo'n prater is als haar voorganger, kom ik deze avond ook wel door. Maar daarin vergis ik mij lelijk. Want zo stil als haar voorganger is, zo'n drukke prater is zij. Ze praat zo veel dat ik er tureluurs van word.
'Ik heb het gevoel dat wij elkaar kennen,' is haar eerste reactie wanneer ik mij aan haar voorstel.
'Misschien hebben we elkaar ontmoet bij de opening,' zeg ik vriendelijk lachend.
'Daar ben ik inderdaad bij geweest, maar ik kan mij niet herinneren dat wij elkaar daar ontmoet hebben.'
'Ik was er wel,' antwoord ik in een poging grappig te zijn.
'Ik weet het niet. Heb jij niet bij de bank gewerkt?'
Ik schud mijn hoofd. 'Nee, ik kom oorspronkelijk uit de juridische wereld, zij het ook in Rotterdam.' Ik noem het advocatenkantoor waar ik een aantal jaren gewerkt heb. 'Misschien ben je daar cliënte geweest?' vraag ik aan Marion, terwijl ze zich gereedmaakt om op de behandeltafel plaats te nemen.
'Gelukkig niet,' beantwoordt ze mijn vraag. 'Bij advocatenkantoren krijg ik altijd visioenen van oude mannen die de hele dag met hun neuzen in wetboeken aan het snuffelen zijn. Van secretaresses zoals ze die van de enige echte secretaresseopleiding afleveren. Compleet met plooirokken ver over de knie, hooggesloten bloesjes, parelkettingen en knotjes in hun haar.'
Ik kan een glimlach niet onderdrukken. 'In het algemeen heeft men zulke gedachten over advocaten. Maar dat is allang een achterhaald beeld, hoor.'
'Bij advocaten denk ik meteen aan echtscheidingen en zo. Gelukkig ben ik vrijgezel, en dat wil ik graag zo houden.'
Ook bij mevrouw Van der Laan zet ik wat ontspannende muziek op, maar het mag niet helpen. Marion blijft maar praten en praten. Af en toe hoor ik een licht accent dat ik niet kan thuisbrengen. Toch komt het mij op een of andere manier bekend voor. Ik ben blij dat de drie kwartier gauw om zijn.

Marion kleedt zich aan.
Ik loop met haar mee naar de voordeur. We nemen afscheid van elkaar. Opgelucht sluit ik de deur, en ik schakel het alarm in. Nu nog even de administratie bijwerken, zodat Martine die morgen kan verwerken in de computer, en dan snel naar boven. Wanneer ik achter het bureau van Annet plaatsneem en wat notities maak, word ik toch nieuwsgierig. Dat accent laat mij niet los. Ik blader door het dossier en lees het kennismakingsformulier. Dan krijg ik de schrik van mijn leven.

HOOFDSTUK 5

Een paar weken later is het weer zover. Smekend kijkt Annet me aan. Of ik alsjeblieft haar avondsessie kan overnemen. Bob is weer in Utrecht voor een aantal besprekingen. Althans, dat heeft hij zijn vrouw wijsgemaakt. Dit is weer een uitgelezen kans om elkaar te ontmoeten.
'Ik wil jullie geluk niet in de weg staan, maar ik vind dat we er eens over moeten praten. Je kunt niet altijd...' Weer krijg ik geen gelegenheid om mijn zin af te maken. Weer sta ik tegen een gesloten deur te praten. Het zijn dezelfde cliënten als de vorige keer. Ik besluit de man te bellen en uit te leggen dat Annet helaas verhinderd is. Hij kan dan zelf beslissen of hij al of niet komt. Ik krijg hem meteen aan de lijn. Aarzelend zegt hij dat hij toch liever door Annet zelf geholpen wil worden. Voor mij is het geen enkel probleem. Bij Marion van der Laan wordt het een stuk lastiger. Ik krijg haar secretaresse aan de lijn, die vertelt dat haar manager al naar huis is. Dan maar proberen op haar mobiele nummer. Daar krijg ik haar voice-mail. Ik spreek een boodschap in. Mijn gevoel zegt echter dat ik vanavond in ieder geval één cliënte krijg. Eentje op wie ik beslist niet zit te wachten.

'Toe maar, Else-Marie, dat zijn leuke meisjes. Die komen je halen om mee te spelen. Je moet niet zo verlegen zijn.' Mijn moeder geeft me een bemoedigend duwtje in de rug. Ik wil dit niet. Ik wil bij haar blijven in plaats van met die onbekende meisjes mee te gaan. Een paar huizen verder wonen hun opa en oma. Geregeld krijgen die hun kleinkinderen te logeren. Ze lijken me niet aardig, maar dat durf ik niet te zeggen. Veel vriendinnetjes heb ik niet, en dit zijn twee zusjes die wat ouder zijn dan ik. Het liefst wil ik thuisblijven. Op mijn eigen kamertje,

met mijn kleurpotloden en blaadjes papier. Niet met die twee meisjes mee. Mijn moeder geeft mij nog een zetje, en ik ga met hen mee naar hun opa en oma. Opa is naar de moestuin, en oma is druk bezig in de keuken. We spelen in de tuin, en ja, ik vind het best leuk. Dan is oma iets vergeten. Ze neemt de fiets en rijdt even naar de buurtwinkel, een paar straten verder. Ze is zo weer terug, zegt ze. Ik word bang. Waarom weet ik niet, maar ik wil naar huis. De meisjes versperren mij de weg. Ik word meegetrokken en in het schuurtje geduwd. De deur valt dicht, en de sleutel wordt omgedraaid. Het is donker in het schuurtje. Zo heel anders dan bij ons thuis. Het is er heel vol, en ik stoot mijn knie aan een soort tafel. Ik huil. De tranen biggelen over mijn wangen. 'Ik wil eruit. Laat me eruit,' snik ik. Er is niemand die me hoort. Er zit een klein raampje in het schuurtje. Maar het is vies en vuil, en er hangt een groot spinnenweb voor. Ik begin steeds harder te huilen. Buiten hoor ik het gelach van de meisjes. Ik hoor geritsel in een hoek van het schuurtje. Ik word bang, heel bang, en begin te gillen. Met mijn handen sla ik op de deur. De meisjes doen niet open. Hoe harder ik huil en gil, des te harder beginnen ze te lachen. Dan ineens wordt de sleutel omgedraaid. De deur gaat open, en ik tuimel naar buiten. Met mijn knieën val ik op de tegels. De opa is teruggekomen. Hij helpt mij overeind, en met een betraand gezicht laat ik mijn handen zien. Ze zijn rood van het bonken. Mijn ene knie bloedt, en op de andere is een schaafwond te zien. De meisjes staan nog nalachend achter hun opa. Hij draait zich om, en ze krijgen alle twee een draai om hun oren van hem. Ik huil nog steeds, al wordt het al wat minder. 'Mijn knie doet zo'n zeer,' zeg ik zachtjes. Hij geeft mij een aai over mijn bol en neemt mij mee naar binnen. Oma is inmiddels ook terug. Met een nat washandje wrijft ze mijn tranen weg en behandelt ze mijn gewonde knie. Ze plakt er een pleister op, en ook wrijft ze voorzichtig met het washandje over de schaafwond. Ik krijg een dropje voor de schrik, en opa brengt me terug naar huis. De meisjes hebben nog vaak bij hun opa en oma gelogeerd, maar ik heb nooit meer met hen gespeeld.

Nu de opnamen in volle gang zijn, komt Bob regelmatig bij ons lunchen. Ongemerkt heeft hij ook de harten van Yvonne en Martine veroverd. Ik blijf het wantrouwend van een afstandje bekijken. Hij is aardig, voorkomend, charmant, kortom een echte heer, en toch... Ik vind het vervelend dat ik zo afstandelijk reageer. Komt dit nu echt doordat het de zoveelste keer is dat Annet dit nu meemaakt? Dat wij straks de puinhopen van haar gebroken hart weer kunnen opruimen? Hoe ik ook peins en mijn gedachten erover laat gaan, ik kom er niet uit. Gelukkig heeft niemand in de praktijk het door. Wanneer Bob er is, ben ik heel vriendelijk en aardig tegen hem. Ik zou het erg vinden als ik iemand tegen mij in het harnas zou jagen. Toch komt mij steeds weer dat gezicht van Mark van der Klooster voor de geest. Zou hij ook nog weleens aan mij denken, vraag ik mij af. Ik kan het me niet voorstellen. Zo'n leuke vent, die iedere vrouw kan krijgen die hij wil. Nee, Else-Marie Verbeke zal beslist niet in zijn adresboekje staan. Ben ik nu verliefd op hem of heb ik te veel fantasie? Ik denk lang na over deze vraag, maar moet het antwoord schuldig blijven. Hoe langer ik erover nadenk, des te meer vragen komen naar boven. Als ik alleen maar aan Mark denk, heb ik het gevoel dat ik zo rood word als een pioenroos. Regelmatig moet ik mijzelf tot de orde roepen omdat mijn fantasie met mij op de loop gaat. Ik ben geen vijftien meer, maar een volwassen vrouw. Gedraag je er dan ook naar. Het lukt echter niet altijd.

HOOFDSTUK 6

Op een avond wordt er gebeld. Ik kijk verbaasd naar de klok. Erg laat is het nog niet, maar wie kan dit nu zijn? Nieuwsgierig loop ik naar de intercom.
'Bob Petersen hier, mag ik binnenkomen?'
'Natuurlijk,' haast ik me te zeggen, terwijl ik me afvraag wat hij van mij wil. Ik druk op de knop en beneden hoor ik de deur open en dicht gaan. Ik besluit Bob tegemoet te gaan. Voor zover ik me kan herinneren, is hij nog nooit boven geweest, maar aan zijn voetstappen te horen weet hij precies waar hij zijn moet. 'Je hebt het al gevonden,' zeg ik in een poging de spanning te doorbreken die ik voel opkomen.
Wanneer ik zijn jas aanneem, begint hij te vertellen dat Annet heeft uitgelegd dat ik de etage boven de praktijk bewoon. 'Dat is handig,' zegt Bob terwijl hij in een fauteuil plaatsneemt. 'Je hebt geen last van files en zo. Je trekt beneden de deur achter je dicht en je laat alles achter je.'
'Dat is ook zo,' geef ik volmondig toe. 'Alleen heb ik weleens de neiging wat langer door te werken, omdat ik toch niet hoef te reizen. Wil je koffie of thee misschien?' Ik kan me niet meer herinneren wat hij dronk toen ik hem de laatste keer zag. 'Koffie graag, als het niet te veel moeite is.'
'Geen enkel probleem. Ik doe niet met je mee, want ik heb een bloedhekel aan koffie. Ik ben een echte theeleut.' Nog steeds ben ik verbaasd over zijn komst, maar ik kan toch niet zomaar vragen wat hij hier komt doen. Zou hij mij een rol komen aanbieden in een film? Ik moet grinniken om de gedachte.
'Mag ik vragen waarom je lacht?' klinkt plotseling de stem van Bob achter me.
Het is maar goed dat hij mijn gezicht niet kan zien, want ik krijg

een vuurrode kleur. Ik bijt op mijn lip en draai me om. 'Ik vroeg me af waarom je hier bent, en toen dacht ik dat je mij misschien wel een rol wilde aanbieden in een nieuwe film.'
Een moment kijkt Bob me verbaasd aan. Dan schatert hij het uit. 'Nee, Else-Marie, daar kom ik niet voor.' Hij is opeens weer serieus. 'Ik wilde eens ongestoord met je praten, en daarom ben ik hier. Ik vermoed dat je, als ik een afspraak wilde maken, me wel afgewimpeld zou hebben met een of andere smoes.' Zijn ogen nemen mij doordringend op.
'Inderdaad,' is mijn eerlijke antwoord. 'Daarom besloot ik je te 'overvallen', en dat is gelukt'.
Ik haal mijn schouders op. 'Wat is de reden van je bezoek?' Het is een directe vraag, maar dat kan ik bij Bob wel doen.
'Zullen we dat zo bespreken? Ik neem aan dat je verder geen bezoek verwacht?'
Ik schud mijn hoofd, terwijl ik me weer omdraai om de koektrommel te pakken.
'Mooi, dan hebben we de tijd om het een en ander te bespreken. Ik beloof je dat ik het niet te laat zal maken, want van Annet heb ik begrepen dat je geen nachtbraker bent.'
Hij heeft overal rekening mee gehouden, en met deze gedachte maak ik het roomstelletje klaar.

Wanneer we later aan de koffie en de thee zitten, steekt Bob meteen van wal. 'Ik heb sterk de indruk dat je mij niet mag, en daarvan wil ik graag de reden weten.'
Zo, die zit. Ik ben er overdonderd van, en weer voel ik een blos opkomen.
'Ik heb wel raak geschoten, zo te zien,' gaat Bob verder, terwijl ik me steeds ongemakkelijker begin te voelen. Dat merkt Bob ook, en hij gaat op geruststellende toon verder. 'Het is niet mijn bedoeling je met de rug tegen de muur te zetten, maar ik wil het gewoon weten. Dan kunnen we erover praten en misschien het misverstand uit de wereld helpen.'
Ik zucht eens diep terwijl ik hem peinzend aankijk. Hoe begin je nu zoiets, vraag ik mezelf af.
Bob blijft me doordringend aankijken en begint ten slotte te pra-

ten. 'Van Annet begreep ik dat je nog niet zo lang geleden gescheiden bent. Heeft het misschien daarmee te maken?'
Weer een schot in de roos. Ik knik slechts. 'Het is nu ongeveer twee jaar geleden,' begin ik. Vreemd, dat het me na al die tijd nog steeds moeite kost het te vertellen. 'Bram was mijn eerste vriendje. Je kent dat wel: verliefd, verloofd, getrouwd. Ik werkte toen nog als secretaresse bij een advocatenkantoor, en Bram bij een verzekeringsmaatschappij. Hij maakte de ene promotie na de andere, volgde de ene studie na de andere en klom steeds hoger op de maatschappelijke ladder. Ik had mijn eigen carrière. Op een gegeven moment – we waren een aantal jaren getrouwd – kreeg ik het gevoel dat er meer moest zijn in het leven dan alleen maar geld verdienen, een nog grotere auto, een nog groter huis en een nog duurdere vakantie. Dat komt deels doordat je als vrouw vroeg of laat te maken krijgt met je biologische klok. Ik verlangde naar kinderen, een gezin.' Ik houd even op en kijk peinzend naar de bodem van mijn mok. 'Bram was echter niet te overreden. Hij had goede argumenten, vond hij zelf. Het waren, economisch gezien, slechte tijden. We zouden ons vrije leventje moeten opgeven, zouden niet zomaar vier keer per jaar met vakantie of uit eten kunnen gaan.' Ik kijk Bob aan met een trieste glimlach op mijn gezicht. 'Bram was ook bang dat het niet bij één kind zou blijven, en dat er, voordat we het wisten, een tweede op komst zou zijn, wellicht een derde.' Het is een poosje stil voordat ik verderga. 'Als ik het verstandelijk beredeneer, moest ik hem wel gelijk geven, maar mijn gevoel sprak een andere taal. Op mijn werk was de ene collega nog niet teruggekeerd van haar zwangerschapsverlof of de volgende vertelde met een stralend gezicht dat ze zwanger was. Iedere keer voelde ik die stille pijn in mijn hart. Ik ging opzien tegen de kraambezoeken, want voordat ik het wist, werd de nieuwe wereldburger in mijn armen gelegd.' Ik zucht eens diep. 'Op een gegeven moment heb ik overwogen met de pil te stoppen en te kijken of ik op die manier de natuur een handje kon helpen. Ik kan me er nog steeds over opwinden dat mensen zeggen: 'een kindje maken'. Een kind maak je niet, je neemt het niet, je krijgt het.' Onbewust reageer ik wat feller. Ik merk het aan het gezicht van Bob. 'Een boterkoek maak je, een kindje niet. Misschien kon ik niet

eens kinderen krijgen. Gelukkig ben ik van gedachten veranderd en heb ik dit dwaze plan nooit doorgezet. Bram voor een voldongen feit zetten terwijl hij er niets voor voelde, leek me geen goed plan. Ik besefte dat dit weleens een tijdbom onder onze relatie kon zijn. Ik heb me wel lang afgevraagd...' – ik aarzel even – '...wat me meer waard was: een goed, stabiel huwelijk, een man die veel van me hield of dat stille verlangen naar een kindje.' Weer blijft het een tijdje stil, terwijl ik opsta en nog eens voor ons inschenk. Dan ga ik weer verder met mijn verhaal. 'Ten slotte heb ik het geaccepteerd dat we nooit kinderen zouden krijgen, al bleef dat verlangen wel.' Ik neem een slok van mijn thee. Bob luistert aandachtig, en ik kijk hem weer met een triest gezicht aan. 'Op een goede dag – liever gezegd: op een slechte dag – werd Bram lid van een leesclub via internet. Een groep mensen kwam om de veertien dagen bij elkaar op het boekenforum om een of ander boek te bespreken. Ik voelde daar niet zo voor. Ik ben dol op een goede thriller, maar dit was nog een stapje verder.' Vragend kijk ik Bob aan. Die antwoordt: 'Horror bedoel je?'
Ik knik. 'Dank je wel. Ik kon er even niet opkomen. Inderdaad, horror van de bovenste plank. Inmiddels was ik bezig met de opleiding, en het eindexamen kwam in zicht. Een week voordat we ons theorie-examen moesten doen, vroeg Bram mij doodleuk op een zaterdagochtend of ik mijn koffers wilde pakken.' Bij deze herinnering wordt het mij weer even te veel. Ik slik een paar tranen weg. 'Weet je wat ik dacht, Bob? Dat Bram bedoelde dat we een paar dagen ertussenuit gingen. Ik keek hem verbaasd aan boven mijn kopje thee. 'Dat kan toch niet,' zei ik. 'Je weet toch dat ik volgende week examen heb. Ik kan niet zomaar weggaan. En trouwens, ik heb ook al een paar dagen vrij genomen om de leerstof nog eens door te nemen.' Maar dat bedoelde Bram niet. Koel en zakelijk deelde hij mij mee – niet lachen om mijn woordgebruik, Bob, maar zo voelde het – dat ik plaats moest maken voor een ander. Bij die leesclub had hij een andere vrouw ontmoet, met wie hij verder wilde. Ik was met stomheid geslagen. Bram, mijn Bram, een ander? Ik protesteerde nog dat hij me toch niet zomaar op straat kon zetten, maar daar luisterde hij niet naar.' Weer blijft het een tijdje stil voordat ik verderga. 'Het ironische van het hele

verhaal was dat het ging om een gescheiden vrouw met drie jonge kinderen. Ik kon het niet nalaten op te merken dat dit hem wel zeer slecht uitkwam: drie jonge kinderen, terwijl hij er niets van wilde weten.' Weer die bitterheid in mijn stem. 'Nou, daarin vergiste ik mij lelijk. Bram was vollledig in vervoering over die kinderen. Een week voor mijn eindexamen... Hoe haal je zoiets in je hoofd? Annet en Yvonne hebben me erdoorheen gesleept. Zonder hun hulp had ik het niet gered. Ik kon bij Annet in haar flat terecht, en ze hebben me helpen verhuizen. Mijn spullen kon ik zolang opslaan bij de ouders van de vriendin van Yvonne. Van de ene op de andere dag werd ik bij het oud vuil gezet. Maar ik heb teruggevochten.' Uit woede bal ik mijn vuisten wanneer ik eraan terugdenk. 'Ik had immers een team advocaten achter mij staan waar je u tegen zei. Uit verbittering heb ik geprobeerd hem financieel zo veel mogelijk uit te kleden. Hij hoefde geen alimentatie voor mij te betalen, maar voor het overige... Ik heb voor ieder deel waar ik maar recht op had, een strijd geleverd. Het was soms zo erg dat mijn advocaat zei: 'Else-Marie, draaf je nu niet een beetje door?' Maar het was mijn enige manier om wraak te nemen. We waren getrouwd in gemeenschap van goederen, en Bram wilde graag in ons huis blijven wonen. Nou, daar heeft hij genoeg voor moeten betalen. Maar al dat geld kon die inwendige pijn niet verzachten.' Weer blijft het een tijdje stil. 'De grootste woede zat vanbinnen. Als hij het een paar jaar eerder tegen me had gezegd, was ik misschien nog wel tegen een leuke kerel aangelopen die het wel met mij had aangedurfd een gezin te stichten. Nu was het te laat. Dat neem ik Bram het meest kwalijk: dat hij mij de kans op het moederschap heeft ontnomen. Nu ben ik te oud. Wat ik ook heel vernederend vond, was het onderzoek bij mijn huisarts.' Ik merk dat Bob mij vragend aankijkt, en met een wrange glimlach om mijn mond vertel ik verder. 'Ik had er niet bij stilgestaan, maar Yvonne dacht wel door. Toen ik haar dus vertelde dat Bram er al een tijdje een vriendin op nahield, vroeg ze mij of ik mijzelf niet moest laten onderzoeken door mijn huisarts. Ik had geen idee wat mijn huisarts nu met mijn echtscheiding te maken had. Maar Yvonne nam geen blad voor haar mond. Zij opperde dat het vast bij Bram niet bij handje vasthouden en voorzichtig kusjes geven was gebleven. Misschien had ik wel iets opgelopen, een geslachtsziekte of zo. Over die mogelijkheid had ik nog niet eens nagedacht. Dat ik misschien wel een erfenis had gekregen waarop ik totaal niet zat te wachten. Ik heb haar raad opgevolgd en heb een afspraak met mijn huisarts gemaakt. Maar wat vond ik dat een vernedering: er werd een uitstrijkje gemaakt, wat bloed afgenomen. Maar alle uitslagen waren goed. Ik had gelukkig niets opgelopen.' Ik wil opstaan, maar een plotselinge duizeligheid overvalt me. Ineens voel ik twee armen om mij heen. Het is Bob, die mij voorzichtig op de bank terugzet.

'Wat zit er nog veel verdriet in je. Huil maar eens lekker uit,' is zijn advies.

Dat laat ik mij geen twee keer zeggen. De tranen stromen over mijn wangen. Mijn wantrouwen tegen hem ben ik helemaal vergeten, en ik sla mijn armen om zijn nek. Tegen zijn linkerschouder komt er een verschrikkelijke huilbui. Wanneer ik enigszins bedaard ben, schaam ik me toch wel een beetje.

Bob doet net alsof het de gewoonste zaak van de wereld is en alsof hij iedere dag huilende vrouwen om zijn nek heeft hangen. Hij rommelt wat in zijn broekzak en trekt er een zakdoek uit. Natuurlijk heeft zo'n heer altijd een schone zakdoek bij zich.

Voorzichtig veeg ik de tranen weg, en ik snuit er eens heerlijk in. Dat lucht op. 'Je krijgt hem wel van me terug,' antwoord ik met een bevende stem.

'Wel gewassen en gestreken graag,' grapt Bob.

Er komt alweer een waterige glimlach op mijn gezicht. Ik zucht eens diep en ga naast hem zitten, mijn hoofd nog steeds tegen zijn arm aan geleund.

'Volgens mij is het verhaal nog niet afgelopen. Klopt dat?' vraagt Bob voorzichtig verder.

Ik knik slechts. 'Een aantal weken geleden kreeg ik zin om te gaan winkelen. Er gaat nog steeds niets boven Rotterdam als winkelstad. Dus ik op zaterdag met de trein om er een leuk dagje uit van te maken. Ik besloot in een van mijn favoriete restaurantjes te gaan eten. Ik kwam daar vaak met collega's. Bram vond er niets aan. Hij vond het een beetje beneden zijn stand en ging liever naar iets chiquers. Tijdens het wachten op mijn bestelling stond er ineens een collega van Bram voor mij. Hij schoof aan en begon een praatje. Ik kende hem niet zo goed, maar ik had hem wel een paar keer ontmoet op feestjes en uitjes van de zaak. Het kon niet uitblijven: op een gegeven moment kwam het gesprek op Bram terecht. Zegt die man: 'Bram is zo trots.' Ik vroeg: 'Is het hem gelukt in het management te komen?' Dat was altijd een droom van hem geweest: tot de absolute top te behoren.' Weer blijft het een tijdje stil. Ik moet moeite doen om verder te gaan. 'Die collega keek mij verbaasd aan en vroeg: 'Weet je het dan niet, Else-Marie?' Nu was het mijn beurt om verbaasd te kijken. Ik vertelde voorzichtig dat ik na mijn scheiding geen enkel contact meer had met Bram. Die man vertelde dat Bram niet tot directeur was benoemd, maar dat hij een paar maanden geleden vader was geworden. 'Trots dat Bram was, niet te geloven,' ging die collega verder. Iedere dag werd de afdeling op de hoogte gehouden van de vorderingen van zijn zoontje. Het was zelfs zo erg dat zijn collega's opmerkten: 'Bram er is nog een andere wereld, hoor, dan alleen maar die van je gezin.' Je kunt wel begrijpen dat, toen ik dit hoorde, mijn hart bevroor. Alsof ik veranderde in een ijskoningin. Gelukkig kwam net de serveerster aan met mijn bestelling. Die knul ging er meteen vandoor. Kun je je voorstellen, Bob, dat mijn varkenshaasje niet meer zo lekker smaakte? In dat restaurantje – eigenlijk meer een eetcafé – hebben ze ook heerlijke toetjes, maar daar had ik geen trek meer in. Ik heb geprobeerd nog iets van de dag te maken, maar dat is totaal mislukt. Ik ben dan ook maar weer vroeg naar huis teruggegaan.' Verdrietig kijk ik Bob aan. In zijn ogen lees ik medeleven en medelijden. 'Ik zat in het begin zo vol woede en pijn dat ik besloten heb professionele hulp in te schakelen. Ik heb een aantal gesprekken gehad met een psychologe, en dat heeft me erg goed gedaan. Ik was zelfstandig genoeg om de draad van mijn leven weer op te pakken. Maar vanbinnen voelde ik me zo verscheurd. Ik ben blij dat ik die stap heb genomen. Nu zijn we volop bezig met het opbouwen van onze praktijk, en daar kan ik veel energie in kwijt. Maar die eenzaamheid, daar moet ik nog steeds aan wennen. Hoewel, als ik eerlijk ben, de laatste jaren van mijn huwelijk was ik ook vaak alleen. Bram en ik waren net als twee schepen die toevallig in dezelfde haven lagen. Het zijn

krassen op mijn ziel die nooit meer weg zullen gaan.' Het blijft weer even stil. 'Heb jij een goed huwelijk?' vraag ik aan Bob. Nu is het mijn beurt om hem doordringend aan te kijken. Eigenlijk weet ik het antwoord al. 'Is Annet niet meer dan een avontuurtje van voorbijgaande aard voor jou?'
Het duurt een tijdje voordat Bob antwoord geeft. 'Ik ben nu bijna dertig jaar met Lies getrouwd, en we hebben twee kinderen gekregen, twee dochters. De oudste is nu vijfentwintig, de andere tweeëntwintig. Ze zijn allebei het huis al uit.'
'Je hoeft je niet te verdedigen, hoor,' zeg ik zachtjes.
Bob schudt zijn hoofd. 'Ons huwelijk stelt al een jaar of wat niets meer voor, van mijn kant dan.'
Weer die trieste glimlach om mijn mond. 'Mevrouw Petersen weet hier dus niets van?'
'Nog niet,' is het rustige antwoord dat ik krijg. 'Maar het zal niet lang meer duren, want ik ben van plan te gaan scheiden.'
Ik knik slechts. 'Kun je begrijpen, Bob, dat mijn sympathie eerder uitgaat naar je vrouw dan naar jou?' Ik schrik van mijn woorden, maar Bob lijkt niet onder de indruk van mijn openhartigheid.
'Nu ik je verhaal heb gehoord, kan ik dat best begrijpen.'
Mistroostig kijk ik hem aan. 'Misschien heeft zij ook al die tijd gedacht dat ze gelukkig is met haar Bob. In iedere relatie heb je soms kalme tijden, soms ook heftige. Misschien denkt zij op dit moment: heerlijk rustig. Totdat ze er op een dag achter komt dat haar man een vriendin heeft. Het zou best kunnen dat ze dit totaal niet verwacht en ook het gevoel heeft dat ze wordt afgedankt en bij het oud vuil wordt gezet. Zeg eens eerlijk...' Ik aarzel, want het is toch weer een persoonlijke vraag. 'Heeft zij een vermoeden dat er iemand anders in jouw leven is met wie je verder wilt?'
Bob haalt zijn schouders op. 'Dat is niet belangrijk meer. Ik ben niet meer gelukkig met haar, en ik zie dan ook geen reden om nog langer bij elkaar te blijven. Zij is ook nog jong genoeg om een nieuw leven op te bouwen.'
Ik zwijg een tijdje, terwijl ik zijn woorden tot mij laat doordringen. Ook mevrouw Petersen wordt afgedankt en bij het vuilnis gezet, bedenk ik. Wat maakt het dan uit of je in een villa in Aerdenhout woont of in een appartement in Rotterdam? Het gevoel

is en blijft hetzelfde. 'Mag ik je een goede raad geven?' vraag ik, maar ik wacht zijn antwoord niet eens af. 'Wanneer je het haar vertelt, zorg er dan wel voor dat je je waardevolle spullen al hebt ingepakt. De laatste dag in 'ons' huis was ik zo woedend dat ik alles kapot heb gemaakt wat voor Bram van waarde was.'
Er komt een glimlach om de mond van Bob.
'Ik heb werkelijk het hele servies stukgegooid. Gelukkig waren Annet en Yvonne er, want anders was er niets meer van het meubilair overgebleven. Ze hebben ingegrepen, want ik bleef maar doorgaan.' De verschrikkelijke en hartverscheurende huilbui die daarna kwam, kan ik me nog heel goed voor de geest halen. Mistroostig kijk ik Bob aan. 'Ik weet niet hoe temperamentvol je vrouw is, maar houd er wel rekening mee.'
'Ik zal het doen,' zegt hij, nog steeds met een glimlach om zijn mond.
Ik zucht nog eens, terwijl ik de herinnering zo snel mogelijk naar het achterste gedeelte van mijn geheugen wil laten verdwijnen. Er valt een stilte, maar het is geen ongemakkelijke. 'Ik heb sterk het gevoel dat er nog iets is. Wil je erover praten?' gaat Bob langzaam verder.
Ik kijk hem verbaasd aan, en een rode blos kleurt mijn wangen. 'Och,' begin ik wat onzeker, en met een schuldige blik probeer ik de andere kant op te kijken. Het gezicht van Marion komt weer op mijn netvlies. 'Dat kan ik je niet vertellen, Bob, want dan kom je te dichtbij,' kreun ik zachtjes. Ik kan hem er toch moeilijk deelgenoot van maken dat ik een moord heb gepleegd.
Bob kijkt mij peinzend aan. 'Mocht je er ooit over willen praten, dan weet je me te vinden.' Hij kijkt op zijn horloge. 'Het is al later dan ik dacht. Ik stap eens op.'
Ik loop met hem mee naar beneden. Spontaan sla ik mijn armen om zijn nek, en hij krijgt drie dikke zoenen van me. 'Dank je wel,' zeg ik dan verlegen. Zo ben ik anders helemaal niet.
Bob kan een glimlach niet onderdrukken. Hij zegt dan ook, voordat hij de voordeur opent: 'Zo'n boeman ben ik dus ook weer niet.'
Ik maak van mijn hart geen moordkuil. 'Nee, je bent me reuze meegevallen,' grinnik ik. 'Houd Annet een beetje in het oog, wil je? Ze kan nogal...' – ik aarzel even – '...een snob zijn.'

'Maak je daar maar niet ongerust over.' Met een vette knipoog en een joviale armzwaai stapt Bob in zijn auto.
Ik kijk hem na in de deuropening. Zou Mark van der Klooster ook zo gevoelig zijn als Bob, vraag ik mij af voordat ik de deur achter mij dichttrek.

HOOFDSTUK 7

'Else-Marie, ik heb voor zaterdagmorgen een afspraak voor je gemaakt.' Martine kijkt me boven haar beker melk aan.
Ik kan mijn ergernis niet verbergen. 'Je weet toch dat ik op zaterdagmorgen geen cliënten ontvang?' merk ik op, terwijl ik nog een bruine boterham pak.
'Dat weet ik wel,' aarzelt Martine, 'maar hij drong zo aan dat ik eigenlijk niet anders kon.'
Aan de overkant van de tafel kijkt Annet mij aan. 'Je weet,' zegt ze tussen twee happen door, 'dat we nog niet in de gelegenheid zijn toekomstige cliënten te weigeren.'
Dat begrijp ik ook wel, maar op zaterdag... 'Wie mag die heer dan wel zijn?' vraag ik, want ik ben best nieuwsgierig. De meeste mannen worden altijd doorverwezen naar Annet, of ze vragen zelf naar haar. Dat er nu iemand speciaal naar mij vraagt, is bijzonder goed voor mijn zelfvertrouwen.
'Mark van der Klooster,' antwoordt Martine terwijl ze mij nog steeds met een schuldige blik aankijkt.
Van schrik laat ik mijn beker melk bijna uit mijn handen vallen. 'Mark van der Klooster?' vraag ik nogmaals, alsof ik het de eerste keer niet goed heb verstaan.
Martine knikt van ja, terwijl het angstig stil blijft.
'Zo zo,' zegt Yvonne, terwijl ze mij aandachtig opneemt. 'Onze wijkagent wil een speciale behandeling.'
Ik krijg een kleur. Hè, dat kleuren van mij ook altijd. 'Ik heb geen idee wat hij van mij wil. Je zou toch denken dat ze bij de politie ook wel enige ondersteuning op dat gebied hebben.'
'Blijkbaar niet,' antwoordt Annet.
Ik kijk haar aan en ik zie de dollartekens alweer in haar ogen verschijnen. 'Als je goed je best doet, maakt hij misschien wel een

beetje reclame voor onze praktijk, en krijgen wij er meer cliënten bij...'
Daar zit ik nu echt op te wachten, maar ik waak ervoor om dit tegen Annet te zeggen. Goed, zij is het financiële brein, en er mag winst gemaakt worden, maar niet tegen iedere prijs. Ik ben nog steeds verbaasd waarom Mark van der Klooster naar mij heeft gevraagd. 'Waarom op zaterdagmorgen?' vraag ik zo neutraal mogelijk aan Martine.
Ze haalt haar schouders op. 'Door de week kon hij moeilijk in verband met dag- en avonddiensten, en daarom zijn vraag of er een uitzondering gemaakt kon worden.'
Ik maak er verder geen woorden meer aan vuil. Toch is er iets wat aan mij knaagt. Mijn geweten of het feit dat Mark een aantrekkelijke man is? Hij is gescheiden, heeft hij mij verteld, maar dat wil niet zeggen dat hij geen vriendin heeft. Trouwens, die vrouwelijke rechercheur had volgens mij ook een oogje op hem. Ik zal geduldig moeten wachten tot aanstaande zaterdag. Het idee dat ik Mark weer zal zien, laat mij niet los. De rest van de dag ben ik er dan ook onbewust mee bezig. Annet had vast geweten hoe ze dit moest aanpakken. Ik niet. Aan de ene kant verheug ik me erop hem weer te zien. Alleen het feit al dat ik aan zijn lichaam mag zitten, doet mijn bloed sneller stromen. Op een gegeven moment spreek ik mijzelf vermanend toe. Else-Marie, houd nu eens op met dagdromen. Misschien heeft hij last van stress op zijn werk en wil hij gewoon een ontspannende massage. Zoek er nu niets achter. Ik wil mezelf behoeden voor een teleurstelling. Als Annet nu het geluk heeft gevonden bij Bob, en Yvonne bij Linda, waarom ik dan niet? Dat weet je heel goed, fluistert een stemmetje in mijn hoofd. Je hebt een moord gepleegd, en vroeg of laat zal dat toch uitkomen.

Die zaterdag ben ik behoorlijk zenuwachtig. Langer dan normaal besteed ik aandacht aan mijn uiterlijk. Meestal ben ik vroeg uit bed om op tijd in de supermarkt te zijn, maar dat stel ik uit totdat Mark weer vertrokken zal zijn. Al vóór tien uur zit ik in mijn praktijkruimte. Het inschrijfformulier heb ik al voor me liggen. Om vijf voor tien gaat de bel. Ik zucht eens diep en haal mijn han-

den nog even door mijn haar. Waarvoor eigenlijk, vraag ik mij af en open dan de deur. Met een stralende lach kijk ik Mark aan, die verlegen teruglacht.
'Goedemorgen, Else-Marie,' begroet hij mij hartelijk.
Weer valt dat jongensachtige mij op, en onbewust gaat mijn hart wat sneller slaan. 'Kom verder,' zeg ik uitnodigend, en ik loop voor hem uit naar de praktijkruimte. 'Weet je wat ik me afvraag?' Zonder op een antwoord te wachten ratel ik verder. 'Wat je nu precies hierheen brengt. Hebben ze bij de politie geen mannetje of vrouwtje rondlopen dat massage geeft? Veel bedrijven en instellingen hebben tegenwoordig zo iemand. Dus waarom bij jullie niet? Of is er wellicht een wachtlijst?' Ik draai mij om en merk tot mijn grote verbazing dat Mark er niet is. 'Mark?' vraag ik onzeker.
'Hier ben ik.' Hij heeft zich al uitgekleed.
Met grote ogen kijk ik hem aan. In zijn boxershort en met zijn sokken aan staat hij voor me. Ik kan mijn lachen niet meer inhouden. Natuurlijk komt dat door de zenuwen. Ik gier het uit. 'Joh, dat is nog niet nodig, hoor. Ik ga je eerst een aantal vragen stellen, en dan pas mag je je uitkleden.'
'Dus ik ben wat te vroeg?' Mark kijkt me aarzelend aan.
'Trek je shirt maar weer aan. Anders krijg je het nog koud,' adviseer ik hem. 'Dat is niet zo goed voor je spieren.'
Weer dat verlegen lachje terwijl hij zich omdraait en achter het scherm zijn shirt aantrekt.
Ik bijt op mijn lip. Mark brengt heel wat gevoelens bij me naar boven. Wanneer hij even later bij mij aan het bureau zit, heb ik mezelf weer aardig onder controle. Ik leg uit dat ik een aantal gegevens noteer die ik nodig heb voor de massage. 'Er zijn ook een aantal persoonlijke vragen bij. Die hoef je niet te beantwoorden als je dat niet wilt. Voor mij is het wel zo makkelijk, want als het je bevalt, en je maakt een vervolgafspraak, dan weet ik of ik iets wel of niet mag vragen.'
Mark kijkt me vragend aan.
Ik vervolg mijn verhaal. 'Stel, er komt een vrouw die pas weduwe is geworden. Dan is het bijzonder gênant als de masseuse een aantal weken later vraagt hoe het met haar echtgenoot is. Dat soort dingen noteer ik dus om eventuele fouten te voorkomen.'

Mark knikt begrijpend.
'Ik trek daar een halfuur voor uit. Daarna volgt de massage. Mochten er tijdens de massage nog dingen naar voren komen die voor een eventuele verdere behandeling belangrijk zijn, dan maak ik daar een aantekening van. Je dossier mag je te allen tijde inzien, hoor.' Ik pak mijn pen en begin het formulier met Mark door te lopen. Zo kom ik heel wat over hem te weten. Dat hij gescheiden is, wist ik al. Zijn leeftijd niet. Hij is maar drie jaar ouder dan ik. Zijn hobby's. Het vreemde is dat hij geen klachten heeft. 'Je hebt geen last van stress of hoofdpijn, rugpijn?' is dan ook mijn verbaasde reactie.
Weer dat verlegen lachje. 'Ik heb weleens last van hoofdpijn, maar dan slik ik een paar aspirines en dan kan ik er weer tegenaan.'
'Je kunt het ook wegmasseren,' ga ik dieper op de ontboezeming in. 'Dat duurt wel wat langer, geef ik toe, maar dan hoef je er niets voor te slikken. Ik zal straks wel voordoen hoe je dat moet doen.'
Ik heb het gevoel dat ik me moet verdedigen. 'Meestal krijgen wij hier cliënten met klachten op een bepaald gebied: stress, burn-out. Vandaar mijn opmerking dat het mij verbaast dat je geen klachten hebt. Er zijn ook mensen die het gewoon fijn vinden lekker gemasseerd te worden. Ik vermoed,' besluit ik mijn verhaal, 'dat dat bij jou ook het geval is. Dan mag je nu plaatsnemen op de behandeltafel. Je shirt uit. Je sokken mag je aanhouden. Op je buik graag. Ik leg een handdoek over je onderkant tegen de kou.'
'Ik kan wel tegen een stootje,' protesteert Mark terwijl hij op de tafel gaat liggen.
'Dat zal best,' grinnik ik, 'maar dat is nu eenmaal de procedure. Mag ik Mark zeggen eigenlijk? Of heb je liever dat ik je meneer Van der Klooster noem?'
Mark draait zijn hoofd om en kijkt mij met een vernietigende blik aan. 'Ga nou gauw weg. Gewoon Mark, hoor.'
Ik haal quasinonchalant mijn schouders op. 'Sommige cliënten staan erop dat ze meneer of mevrouw genoemd worden. Daar houd ik rekening mee. Helaas kan ik geen medische indicatie geven voor mijn behandeling. Anders kon je de rekening indienen bij je zorgverzekeraar. Nu zul je die zelf moeten betalen.' Met een klap sla ik het dossier dicht.

Het moment is daar. Nu mag ik ongegeneerd aan zijn lichaam zitten. Hij heeft wel een figuur waar ik van houd. Een beetje stevig gebouwd. Het ziet er niet verkeerd uit. Ik ben genoeg vrouw om dat toe te geven. Ik zucht eens diep. Ik ben toch wel nieuwsgierig hoe het is afgelopen met het onderzoek naar de vermissing van Marion. Tijdens mijn massage vraag ik ernaar.
'Het dossier is gesloten bij gebrek aan gegevens,' is het antwoord dat ik krijg.
Aan de toon waarop Mark het zegt, hoor ik dat verder vragen niet op prijs gesteld wordt. Dat valt natuurlijk onder zijn beroepsgeheim, bedenk ik. 'Ik weet genoeg,' zeg ik dan ook lachend, terwijl ik verder met mijn handen zijn schouders masseer. 'Toch nog één ding, Mark. Ik had zo'n vermoeden, nou ja, dat zal wel vrouwen eigen zijn, dat die vrouwelijke collega van je, je moet het mij maar niet kwalijk nemen, mevrouw Touw of zoiets, een oogje op je had. Is daar nog iets uit voortgekomen?'
Mark verkrampt. Zijn spieren verstijven, en hij slaakt een kreet van pijn. Geschrokken houd ik meteen op. 'Rustig blijven liggen,' adviseer ik hem, terwijl ik overeind kom en een handdoek over zijn schouders leg. 'Dit is dus duidelijk een pijnpunt, zoals we dat noemen. Daar moet je me straks meer over vertellen.' Mijn stem klinkt ernstig.
'Moet dat echt?' vraagt Mark op ietwat norse toon.
'Ik vrees van wel,' probeer ik hem gerust te stellen. 'Als je lichaam een dergelijke reactie vertoont op haar naam alleen al, moet er wel iets achter zitten. Voor de verdere behandeling is het dan noodzakelijk dat ik meer weet.'
Mark knikt alleen maar.
Ik haal de handdoek weg en ga verder met de massage. De drie kwartier die ervoor staan, worden een uur, maar dat interesseert me niet.
Na afloop, wanneer Mark zich weer heeft aangekleed, neemt hij plaats aan mijn bureau.
Ik kijk hem ernstig aan. 'Je moet het me vertellen, Mark, want je vertoonde zo'n heftige reactie dat ik je onbedoeld pijn heb gedaan. Dat wil ik een volgende keer graag voorkomen.' Afwachtend kijk ik hem aan.

Met een vermoeid gebaar strijkt Mark een lok uit zijn gezicht. 'Op het gebied van vrouwen ben ik nogal een, ja, wat zal ik zeggen?' Het blijft even stil. 'Iedereen denkt dat ik een versierder van de bovenste plank ben. Het tegendeel is waar. Eigenlijk ben ik heel verlegen. Ik zal dan ook niet zomaar op een vrouw af stappen en haar een compliment geven.'
Ik luister aandachtig, terwijl ik ondertussen aantekeningen maak.
'Ik had het dus niet eens door, maar op een gegeven moment begonnen vrouwelijke collega's opmerkingen te maken. Dat Mariëtte het wel erg duidelijk liet blijken dat ze me meer dan leuk vond. Zoals ik al zei, ik had het niet eens door. En bovendien: ze is mijn type niet. Ik dacht eerst dat die meiden een dolletje maakten, maar het was serieus bedoeld. Later kwam bij Mariëtte de aap uit de mouw. We hadden net een onderzoek afgesloten, en zij wilde ergens een kop koffie gaan drinken. Ik had daar helemaal geen zin in, maar in nee zeggen ben ik ook geen held. Dus heb ik toegestemd. Het was gezellig, hoor, daar niet van, maar ze liet mij toen duidelijk blijken dat ze meer wilde. Een avondje uit en zo.'
Mark houdt op.
Ik kijk hem vragend aan.
Verlegen gaat hij verder: 'Misschien had ik gewoon moeten zeggen: 'Laten we het hierbij houden.''
'Dat heeft zij niet zo opgevat?' vraag ik voorzichtig door.
'Inderdaad, ze bleef maar bellen en proberen een afspraak met me te maken. Op het bureau waren we natuurlijk het gesprek van de dag. Ik ben ook nog zo dom geweest mijn mobiele nummer aan haar te geven. Dat was nodig in het kader van het onderzoek. Op advies van Marianne, een collega, heb ik maar meteen een ander nummer genomen. Maar de meiden hebben mij goed geholpen, hoor. Wanneer Mariëtte weer eens naar het bureau belde, was ik altijd net weg of had ik geen dienst. Uiteindelijk is het gestopt. Maar ik kan haar naam niet meer horen.'
Ik knik begrijpend. 'Ik heb het genoteerd. Ik zal haar naam niet meer noemen, en voor jou is het te hopen dat je niet meer met haar hoeft samen te werken. Dat levert een behoorlijk stresspunt op.' In gedachten vraag ik mij af op wat voor type vrouw Mark wel valt. We maken een vervolgafspraak voor over veertien dagen.

'Is het niet vervelend voor je dan weer op een zaterdag te moeten werken?' vraagt Mark voor alle zekerheid.
De opmerking van Annet dat wij het ons nog niet kunnen veroorloven cliënten te weigeren, schiet mij door het hoofd. 'Nee hoor, geen enkel probleem.' Al kwam hij iedere zaterdag...
Wanneer Mark eenmaal vertrokken is, besef ik ineens dat ik niet heb voorgedaan hoe hij op een simpele manier van zijn hoofdpijn kan afkomen. Ik maak er meteen een aantekening van in zijn dossier. Dan kan ik het de volgende keer niet vergeten.

Wanneer Mark inderdaad na veertien dagen weer voor een behandeling komt, begin ik er meteen over. 'Wanneer je de hoofdpijn voelt opkomen, meteen de zijkanten van je slapen masseren,' geef ik hem advies. 'Dat moet je ongeveer vijf minuten volhouden. Je zult zien, je hoofdpijn wordt stukken minder, en je hoeft er niets voor in te nemen. Je kunt ook een frisse neus halen en diep in- en uitademen. Dat helpt ook.'
'Ik zal het onthouden,' zegt Mark, en hij lacht mij op een ontwapenende manier toe.
Mijn hart gaat sneller slaan. Ik voel me net een tiener.
'Ik heb mijn rooster nog niet voor de volgende keer. Mag ik bellen om een nieuwe afspraak te maken?'
Ik probeer een gevoel van teleurstelling te onderdrukken. 'Natuurlijk. Ons telefoonnummer staat op je afsprakenkaart. Zeg er dan wel bij dat het voor de zaterdag is, want dan moet Martine even overleggen of ik er ben of niet.'
'Afgesproken,' zegt Mark voordat hij de deur achter zich dichttrekt.
Mark laat echter niets meer van zich horen. Niet veel later trek ik met een gevoel van teleurstelling het dossier uit mijn lade en geef het aan Martine. Zij zorgt ervoor dat het dossier in het archief terechtkomt. Het was ook te mooi om waar te zijn dat Mark mij ook weleens meer dan leuk zou kunnen vinden. Ik pijnig mijn hersenen over het hoe en waarom. Zou ik me dan toch opgedrongen hebben? Heb ik hem afgeschrikt of zo? Ik kom er niet uit. Ik moet ook de positieve kant ervan inzien, houd ik mijzelf voor. Na mijn scheiding van Bram is Mark de eerste man op wie ik verliefd ben

geworden. Ik had mezelf nog wel voorgehouden nooit meer, maar dan ook nooit meer, naar een man om te kijken. Misschien ligt er dan toch nog wel een relatie voor mij in het verschiet? Een stemmetje binnen in mij zegt dat ik daar maar niet te veel op moet rekenen. Je bent iemand met een verleden, Else-Marie, en het dossier-Marion van der Laan mag dan wel gesloten zijn, op een dag komt er toch iemand achter. Op mijn vraag wie dan, als ik het zelf niet vertel, zwijgt het stemmetje. Zo leg ik mijn geweten het zwijgen op.

Niet lang daarna krijg ik een nieuwe cliënte, weer iemand die expliciet naar mij heeft gevraagd.
'Haar naam is Marianne Korteweg,' vertelt Martine tijdens onze werkbespreking. Die naam zegt mij niets. 'Je wordt nog een regionale bekendheid,' lacht Yvonne. 'Misschien iemand met borstklachten?' aarzel ik, omdat dat mijn specialisme is.
'Als we het daar alleen van zouden moeten hebben...' antwoordt Annet.
De spottende ondertoon in haar stem ontgaat mij niet. 'Ja, ja,' is mijn korzelige antwoord. 'Je weet dat ik daar nu eenmaal...'
Annet valt mij bruusk in de rede. 'Daar kunnen we niet van leven. We moeten commercieel blijven denken. Ook al weet ik hoe graag jij die vrouwen helpt, het is gewoon te weinig om onze praktijk er draaiende van te houden.'
Ik voel me net een klein kind dat door de juf ter verantwoording wordt geroepen, en wel in het bijzijn van de hele klas.
'Op andere gebieden scoren we gelukkig wel goed,' neemt Yvonne het voor mij op.
Ik werp haar een dankbare blik toe. Annet is privé een leuk mens, maar soms heb ik weleens de neiging – ik schrik weer van mijn gedachten – haar de nek om te draaien.
Het raadsel is snel opgelost. Marianne Korteweg is een collega van Mark. Mijn ogen lichten op wanneer ze zijn naam noemt. 'We waren nieuwsgierig hoe je aan ons adres bent gekomen,' licht ik mijn vraag toe. 'Dit in verband met onze reclame-activiteiten.' Dat laatste verzin ik er maar snel achteraan.
'Nee, ik heb weleens last van mijn schouders, en ik vertelde dat zo-

maar een keer tegen Mark. Hij heeft mij toen jouw naam gegeven,' zegt ze hartelijk.
Haar schouders hebben mijn interesse. Wanneer ik vraag welke beha ze draagt, kijk ze mij achterdochtig aan. 'Gewoon een beha,' antwoordt ze wat ongemakkelijk. Op mijn vraag of het er een met of zonder beugels is, antwoordt ze: 'Zonder beugels.'
'Als ik je een advies mag geven: probeer eens een ouderwetse beugelbeha. Ik heb een vermoeden dat je klachten dan een stuk zullen verminderen.'
Marianne belooft dat ze het zal proberen.
De volgende keer vertelt ze me lachend dat haar schouderklachten al een stuk minder zijn.
'Dat dacht ik al. Een beugelbeha geeft toch wat meer ondersteuning aan je borsten dan een gewone beha. Dat heeft weer invloed op je schouders.'
Marianne is een leuke en spontane meid. Een ontspannende massage met klassieke muziek op de achtergrond kan ik bij haar echter wel vergeten. Ze praat graag, en ongemerkt vertelt ze ook het een en ander over Mark. Het is wel een blijvertje, en zo blijf ik langs een omweg toch op de hoogte hoe het met hem gaat.

Op een zaterdagochtend kijkt Marianne me lang en aandachtig aan. 'Je vindt hem leuk, is het niet?'
Ik bloos en weet niet waar ik kijken moet. 'Ik weet niet over wie je het hebt...' probeer ik mezelf eruit te redden, maar zonder resultaat.
'Mark natuurlijk,' antwoordt Marianne.
Ik kijk haar aan en knik. 'Ik vind hem heel leuk. Meer dan leuk zelfs...' Hier wacht ik even. 'Ik koester geen hoop, hoor. Mark heeft twee keer een afspraak gemaakt voor een behandeling. Toen heeft hij nooit meer iets van zich laten horen.' Er klinkt nog steeds iets van spijt door in mijn stem.
'Ik vind jullie tweeën goed bij elkaar passen.' Dromerig kijkt Marianne mij aan.
Van verbazing val ik nog net niet van mijn stoel. 'Ga weg,' zeg ik blozend.
'Dat meen ik serieus. Jij past veel beter bij hem dan die slang van een Mariëtte Touw.'

'Daar heb ik het een en ander over gehoord,' antwoord ik enigszins op mijn hoede. Ook ik heb een beroepsgeheim. 'Ik had het gevoel dat zij meer in hem zag dan alleen maar een goede collega.'
Marianne grinnikt en schatert het dan uit. 'Nou en of. Het was zo duidelijk als wat. Iedereen had het door, behalve Mark zelf. Hij is een schatje, maar een rund wat vrouwen betreft. Beter verwoorden kan ik het niet.'
Ik bloos nog steeds.
'Als je bij hem iets wilt bereiken, moet je zelf het initiatief nemen,' gaat Marianne verder.
'Ik weet niet hoe, ik weet niet hoe,' zing ik het refrein van een tophit van Benny Neyman. 'Kom op, Marianne, ik kan toch moeilijk bij jullie op het bureau komen met het verhaal dat mijn fiets is gestolen en dat ik aangifte kom doen.' Spottend kijk ik haar aan.
Nadenkend wrijft Marianne met haar hand over haar kin. 'Je kunt het altijd proberen. Het is wel een goede smoes overigens.'

HOOFDSTUK 8

Niet lang daarna komt Annet met een stralend gezicht de keuken in gelopen. 'De scheiding is erdoor,' juicht ze.
Ik weet niet goed wat ik daar nu mee aan moet. Voor mij verschijnt het beeld van een eenzame vrouw. Stom natuurlijk, want ik weet niet eens hoe de ex-vrouw van Bob eruitziet.
Maar Annet is overgelukkig. Daar bestaat geen twijfel over. 'Het heeft lang geduurd, maar eindelijk is het zover.'
'Had zij dan zo veel eisen?' vraagt Yvonne belangstellend.
Annet gooit haar tas op tafel. 'Houd erover op, zeg. Die oude tang heeft ons het leven wel zuur gemaakt.'
Ik kan een zucht niet onderdrukken. Dit verhaal lijkt wel heel veel op dat van mij. Ik besluit niets te zeggen.
Dat hoeft ook niet, want Annet ratelt maar door. 'Ze was met niets tevreden, terwijl Bob haar toch heel schappelijk heeft behandeld. Zo mag ze in de villa blijven wonen en krijgt ze ook nog een maandelijkse toelage. Ik geloof dat Lies de villa wil verkopen en naar Amsterdam wil verhuizen. Daar wonen de twee dochters van Bob, en daar wil zij een nieuw leven beginnen. Dat moet zij zelf maar weten, hoor. Bob en ik kunnen nu plannen gaan maken voor onze toekomst.' Annet heeft er een kleur van, en verhit ploft ze op een stoel neer. 'Ik hoop dat ze niet zo aan hem gaat hangen, want daar heb ik absoluut geen zin in. Ze moet nu leren haar eigen boontjes te doppen.' Dit laatste komt er naar mijn idee wat wraakzuchtig uit. 'Maar eerst de première van zijn film.' Annet geniet al bij het vooruitzicht. 'Nu hoeven we elkaar niet meer in het geheim te ontmoeten. Nu mag iedereen weten dat ik zijn nieuwe liefde ben.'
Ik voel me misselijk worden. De woorden van Annet irriteren me. 'Jullie krijgen ook een uitnodiging, hoor.'

‘Waar wordt de première gehouden?’ vraagt Yvonne belangstellend.
‘Hier in Utrecht.’
Mijn gedachten dwalen af. Zou Bob zo attent zijn om ook het hele politiekorps uit te nodigen? Hij heeft volgens Mark voor heel wat overlast gezorgd. Ik droom een beetje dat ik Mark dan tegen het lijf zal lopen en op een ongedwongen manier een praatje met hem kan maken. Dat zal wel niet gebeuren, denk ik grinnikend in mezelf. Dan merk ik dat Yvonne en Annet mij aankijken. ‘O, niks,’ antwoord ik glimlachend. ‘Een binnenpretje.’ De misselijkheid wordt al minder. Hoe zou Lies zich nu voelen, vraag ik mij af. Zij was immers met het idee gekomen die roman aan Bob te laten lezen. Zij was zo enthousiast geweest over dit debuut. Natuurlijk heeft Bob haar deelgenoot gemaakt van zijn plannen om dit boek te verfilmen. Misschien heeft Lies wel tips gegeven bij de vraag aan wie Bob de hoofdrol moest geven. Zij heeft aan het begin gestaan van alles, en het einde mag zij niet meemaken. Ik kan mij bijna niet voorstellen dat Lies ook een uitnodiging krijgt.

De première is het gespreksonderwerp van de weken die volgen, en helemaal wanneer er voor ons allemaal een uitnodiging op de balie ligt te wachten.
‘Wat trek je nu bij zoiets aan?’ vraagt Martine wanhopig aan Annet. Ze verwoordt wat ons allemaal bezighoudt. Alle dames verschijnen in het lang. Yvonne verslikt zich in haar koffie. Yvonne is, naast Linda, het prototype van een pot, zoals zij dat zelf spottend noemt. Ik kan mij haar dan ook niet in een galajurk voorstellen. Yvonne ook niet.
‘Is dat echt verplicht?’ vraagt zij angstig aan Annet.
Die knikt. ‘Je kunt niet met een spijkerbroek en een sweater aankomen,’ is alles wat zij zegt.
Yvonne werpt mij een benauwde blik toe. Ik stel haar gerust. ‘Dan trek je toch een jurk aan tot een stukje onder je knie.’
Maar dat is ook niet de dresscode volgens Annet. Of Yvonne het nu leuk vindt of niet: je hoort in een galajurk op een première te verschijnen.
Ik kijk ook een beetje sceptisch. Bij de kapper en de tandarts kijk

ik regelmatig in de bladen, en als je dan ziet wat die vrouwen allemaal aanhebben. 'Als Yvonne zich nu eens kleedt in de stijl van Marlene Dietrich, in een mannenpak. Dat staat toch ook goed?'
Yvonne werpt mij een dankbare blik toe.
Aan het gezicht van Annet te zien sla ik de plank volkomen mis.
'In het lang,' is haar korte antwoord.
Yvonne trekt nog een lelijk gezicht. Ik vrees voor haar dat zij er niet onderuit komt. In het lang dus.
Dan begint de zoektocht naar een geschikte jurk. Op een zaterdag vertrek ik met de trein naar Rotterdam. Annet heeft wel een paar adressen gegeven, en daar zijn Yvonne, Linda en ik een kijkje wezen nemen. De prijzen waren echter zo ontzettend hoog dat we niet wisten hoe snel we de winkel uit moesten komen.
'Hier heb ik dus helemaal geen zin in,' verwoordde Yvonne onze gedachten. 'Een première is leuk, maar ik ben niet van plan honderden guldens uit te geven voor iets wat ik waarschijnlijk maar één keer draag.'
'Kijk, als die Bob een blijvertje is – en daar ziet het toch wel naar uit –, volgen er misschien nog meer premières,' opper ik voorzichtig. 'Dan kun je de jurk nog een keer dragen.'
Yvonne kijkt me vernietigend aan. Ook met deze gedachte is zij het niet eens.
Ik geniet van mijn dagje winkelen. In mijn favoriete kledingzaak leg ik mijn vraag voor aan de verkoopster. Ik kom er al jaren, en zij werkt er al zolang ik mij kan herinneren. Ze weet precies wat ik wil, en even later is zij al druk voor mij aan het zoeken. Inderdaad kom ik met een schitterende jurk thuis. Overigens niet alleen met de jurk en een bijpassend jasje, maar ook met een paar schoenen. Ik maak een afspraak bij de kapper, die tevens een schoonheidssalon heeft. Alles is geregeld voor de grote avond.
Bij Yvonne en Linda loopt het wat minder soepel. Linda is zo geslaagd in het vinden van een jurk. Yvonne heeft er duidelijk meer moeite mee, wat te verwachten was. Het is zelfs zo erg dat Linda, die op een middag bij ons komt lunchen, met een vermoeid gezicht vertelt dat heel die zoektocht naar iets geschikts een belasting voor hun relatie is.
'Het bezorgt ons nog net geen relatiecrisis,' moppert Linda. 'Ik zal

blij zijn wanneer we iets gevonden hebben, want dit werkt behoorlijk op mijn zenuwen.'
Gelukkig is dit probleem ook op een gegeven moment opgelost. Niet alleen Linda slaakt een zucht van opluchting wanneer Yvonne iets heeft gevonden om aan te trekken. Ook Annet is dolblij. Zij zag Yvonne al in een spijkerbroek naar de première komen. Annet heeft een jurk laten maken bij een modehuis. Wanneer zij de naam noemt, fluit ik tussen mijn tanden. Die man kleedt half bekend Nederland. Daar hoort Annet straks ook bij. Dan heb je het als man heel wat makkelijker, bedenk ik wanneer ik mijn nieuwe schoenen aan het inlopen ben. Je trekt gewoon een zwart pak aan, een wit overhemd, een vlinderstrikje of een mooie stropdas, en je bent klaar. Je hoeft eigenlijk niet eens naar de kapper.

Het is de avond van de première. Ik ben met Yvonne en Linda meegekomen. We kijken onze ogen uit. De rode loper is uitgelegd, en het publiek is massaal toegestroomd. Fotografen maken de ene foto na de andere.
Yvonne lacht: 'Straks zien we onszelf nog terug in de bladen.'
Naast de loper staan dranghekken, en overal zien we beveiligingsmensen. Ook een aantal mensen in uniform. Het politiekorps van Utrecht is ruim vertegenwoordigd.
Ik probeer tussen de politiemensen Mark te ontdekken, maar dat is bijna ondoenlijk. Wel zie ik Marianne in functie. Maar zij is zo druk bezig dat ze mij niet opmerkt.
'Je bent onze uitnodiging toch niet vergeten, hè?' vraagt Yvonne zenuwachtig aan Linda.
Die schudt haar hoofd. Ze heeft hem veilig in haar tasje opgeborgen.
Bij de ingang staan twee mensen van de beveiligingsdienst de uitnodigingen te controleren.
Ik ben blij dat ik binnen ben.
We geven onze jassen aan de garderobedames en fatsoeneren nog even ons uiterlijk in het damestoilet. In het theater zelf is het al een gezellige drukte. We zien overal bekende Nederlanders, en Martine is er ook al.
Met een rode blos op haar wangen vertelt Martine ons, struike-

lend over haar woorden, dat ze al een hele verzameling handtekeningen heeft.
'Ja, Else-Marie,' plaagt Linda, terwijl ze me guitig aankijkt, 'als straks jouw held binnenkomt...'
'Ja,' antwoord ik op neutrale toon, 'Wat dan?'
Yvonne giert van het lachen. 'Dan schiet jij helemaal in de stress.'
'Kom op, meiden,' probeer ik de boel te sussen. 'Ik ben geen tiener meer, hoor.'
Maar dat is olie op het vuur. 'Niet liegen,' schatert Yvonne. 'Je bent dan echt niet meer te houden.'

Dan is het grote moment daar. Bob komt binnen met aan zijn arm een stralende Annet. Wat ziet ze er mooi uit. Daar moet ik eerlijk in zijn. Als ze nu al zo straalt, wat moet het dan wel niet worden als ze straks zijn bruid zal zijn. Ze heeft heel wat werk van zichzelf gemaakt. Kortom, zij is de ster van de avond. Daar kan de hoofdrolspeelster niet tegen op. Alle ogen zijn op haar gericht. De fotografen blijven maar foto's nemen. Aandachtig kijk ik naar Bob, en dan valt mij ineens iets op. Dit is niet de Bob die ik ken en die regelmatig bij ons komt lunchen. Ook niet de Bob die een avond bij mij op bezoek is geweest. Dit is een totaal andere Bob. Het dringt tot mij door dat ik Bob nu meemaak als acteur. Hij speelt een rol. Net als een kameleon. Daar ben je immers acteur voor, denk ik bij mijzelf.
We zoeken onze plaatsen op.
Na een inleidend verhaal van Bob over het ontstaan van de film gaat deze beginnen. Het is een behoorlijk goede bewerking van het boek. Bij de titelsong springen de tranen me al in de ogen. En dan moet de film nog beginnen. Groot is dan ook mijn verbazing wanneer ik bij de aftiteling zie dat dit nummer door de schrijfster van het boek zelf is geschreven. De muziek is van Lenny Kuhr, die het nummer ook zingt. Stom, dat ik haar stem niet heb herkend. Ik heb zelf nogal wat cd's van Lenny, en dan absoluut niet het repertoire van 'Visite' en zo. Meer het serieuzere werk. Het is trouwens de eerste keer dat ik Lenny in het Engels hoor zingen.
Na de film staan we met z'n drieën wat na te praten: Yvonne, Linda en ik.

Dan staat ineens Bob achter ons. 'Zo dames,' zegt hij met een brede grijns om zijn mond, 'hoe vonden jullie het?'
'Een Oscar-nominatie waardig,' zeg ik uit de grond van mijn hart.
'Dat is een groot compliment. Dank je wel.'
'Vooral die titelsong,' ga ik verder. 'Wat een stem heeft Lenny toch. Ik wist trouwens niet dat Els ook liedjes schreef,' ga ik verbaasd verder.
'Af en toe doet ze dat,' verklaart Bob.
'Als dit geen nummer één wordt, dan...' Ik zoek naar woorden om mijn zin af te maken. 'Dan krijg jij een speciale massage van me,' lach ik naar Bob.
'Dat zal ik onthouden,' zegt hij breeduit grijnzend.
'Wat een mensenmassa,' neemt Linda het gesprek over terwijl ik mijn blik over de menigte laat gaan.
'Zoek je iemand?' vraagt Bob.
Ik krijg een kleur van opwinding, maar voordat ik antwoord kan geven, is Yvonne mij al voor. 'Nou en of Bob, ze vraagt zich af of je haar lievelingsacteur ook hebt uitgenodigd.'
'Lievelingsacteur?' Bob trekt zijn wenkbrauwen op. 'Vertel eens. Daar ben ik wel nieuwsgierig naar'.
Ik word nog roder dan ik al ben. 'Hidde Maas,' zeg ik verlegen terwijl ik naar de punten van mijn schoenen staar.
'Wie?' herhaalt Bob zijn vraag. Hij heeft mij niet goed verstaan.
Ik wil antwoord geven, maar Linda doet het voor mij. 'Hidde Maas.'
Bob kijkt mij heel verbaasd aan. 'Ze wil het niet toegeven,' verklapt Linda verder, 'maar dat is de grote jeugdliefde van Else-Marie.'
Ik weet niet waar ik kijken moet.
'Ja,' doet Yvonne er een schepje bovenop, 'al sinds zijn rol in *Sil de strandjutter*. Wat zou Else-Marie graag eens met Hidde in het hooi willen rollebollen.'
Ik word roder en roder.
Yvonne gaat onverstoorbaar verder. 'Die droom zal wel nooit uitkomen.'
Weer kijkt Bob haar verbaasd aan.
'Else-Marie heeft nogal last van stof- en huismijt. Daar is zij aller-

gisch voor. Als je haar in een hooiberg stopt, is de ellende niet te overzien.'
Bob giert het uit en veegt de tranen uit zijn ogen. 'Hidde Maas. Dan moet ik je toch teleurstellen, vrees ik. Die heeft geen uitnodiging gekregen.' Wanneer Bob enigszins bedaard is, verschijnt er een vrolijke twinkeling in zijn ogen. 'Ik zal je straks toch eens voorstellen aan Els, hoor. Jullie hebben gespreksstof genoeg om over te praten, dacht ik zo.'
Wantrouwig kijk ik Bob aan. Dan buigt hij zich voorover en fluistert: 'Zij is net zo dol op collega Hidde als jij.'
'Zijn jullie ook zo weg van Hidde?' vraagt hij aan Linda en Yvonne, die nu helemaal in een stuip liggen. Bob slaat quasiverbaasd op zijn voorhoofd. 'Stom natuurlijk. Jullie zijn meer geïnteresseerd in vrouwen.'
'Ja,' lacht Linda breeduit. 'Daar is het hier overvol mee. We genieten van al dat vrouwelijk schoon.'
Dan zie ik uit mijn ooghoeken dat een dame de aandacht van Bob probeert te trekken. Ik attendeer hem daarop.
'Dat is Sonja, mijn manager. Dames, de plicht roept weer. Ik zie jullie straks wel.' Met een brede glimlach loopt hij op de manager af. Ik hoor hem nog net mompelen: 'Hidde Maas. Hoe verzinnen ze het.'

Ik besluit er eventjes tussenuit te knijpen. Ik dacht dat ik mijn schoenen goed had uitgelopen, maar mijn voeten geven een signaal dat dat niet het geval is. Yvonne is onze voetenspecialist. Zij is afgestudeerd in voetreflexmassage. Ik zou er op dit moment alles voor overhebben als zij mijn onderdanen zou masseren. Dat zit er helaas niet in. Ik besluit in een zaaltje apart plaats te nemen. Met een zucht van opluchting trap ik mijn schoenen uit, en ik wrijf met een pijnlijk gezicht over mijn voeten.
Dan zwaait opeens de deur open.
Geschrokken kijk ik op.
Twee jonge vrouwen verschijnen in de deuropening. We kijken elkaar verbaasd aan.
'Het spijt ons,' mompelt de oudste een verontschuldiging. 'We verwachtten niet dat hier iemand zou zijn. Wij zullen u met rust laten.'

Ik wuif haar verontschuldiging weg. 'Welnee, niets aan de hand. Ik had alleen wat pijn in mijn voeten. Kom er maar gerust bij.'
De vrouwen aarzelen duidelijk.
'Ik kan het bijna niet mis hebben. Jullie moeten de dochters van Bob zijn. Dan ben jij Anne.' Ik knik naar de oudste en dan naar haar jongere zus. 'Jij moet dan Lotte zijn.'
Ze kijken mij vragend aan. Er is geen twijfel mogelijk. Ze lijken sprekend op Bob.
Ik strompel overeind en loop op hen af en stel me voor.
Het zijn inderdaad de dochters van Bob. Het ijs is meteen gebroken. Ze willen graag weten in welke relatie ik tot hun vader sta. Dat wordt een pijnlijk moment.
Ik aarzel even voordat ik vertel dat ik een praktijkgenote van Annet ben.
Inderdaad valt er een pijnlijke stilte. Anne en Lotte wisselen een blik van verstandhouding.
'Ik denk dat ik me jullie situatie wel kan indenken...' begin ik voorzichtig.
De zussen kijken me enigszins wantrouwend aan. Toch gaan ze zitten in de fauteuils, en ze kijken me verwachtingsvol aan.
Ik vertel hun mijn echtscheidingsverhaal.
Terwijl mijn verhaal vordert, ontspannen Anne en Lotte zich.
'Mag ik nu in alle oprechtheid vragen hoe het met jullie moeder is?'
Anne neemt het woord. 'Ze heeft het erg moeilijk. Je hebt gelijk: ze heeft het niet zien aankomen, net als jij. Goed, onze vader heeft haar niet onverzorgd achtergelaten. Maar ze staat er nu wel alleen voor.'
Lotte neemt het van haar zus over. 'Vader was haar eerste echte liefde. Ze heeft voor haar trouwen wel een baantje gehad, maar dat was niet echt noemenswaardig. Ze was tevreden met haar rol als vrouw en moeder. Zij hoefde niet zo nodig carrière te maken. Ze heeft zich altijd weggecijferd voor pa, zodat die ongestoord aan zijn filmcarrière kon werken. Ze was al die jaren letterlijk en figuurlijk het thuisfront. Nu hield ze ook niet van feestjes en zo, net zomin als pa trouwens. Ze was tevreden met haar rol op de achtergrond.'

Anne en Lotte nemen me in vertrouwen over het huwelijksleven van Bob en Lies zoals zij dat hebben beleefd.
Anne zucht terwijl ze verder vertelt: 'Voor ons was het ook een complete verrassing toen pa vertelde dat hij een echtscheiding wilde. Voor ons waren ze jaren lang het ideale stel.'
De stem van Lotte klinkt verbitterd wanneer ze mij vraagt: 'Else-Marie, kun jij ons vertellen wat pa in Annet ziet?'
Die vraag overvalt me. Het duurt dan ook even voordat ik er antwoord op geef. 'Ik zou het echt niet weten,' geef ik in alle eerlijkheid toe. Ik vertel maar niet dat ik Annet, nu ik een paar jaar met haar samenwerk, ook van een andere kant heb leren kennen. Een kant die mij niet zo bevalt.
Het is overduidelijk dat de dochters niet zo dol zijn op Annet.
Dat blijkt wel wanneer Lotte, nog steeds verbitterd, verdergaat met haar verhaal. 'Wij zouden er alles voor overhebben als die vraag beantwoord kon worden. We vinden haar een spook.'
Zo, dat is recht voor zijn raap.
Anne windt er eveneens geen doekjes om. 'Ze doet zo vreselijk haar best om ons voor haar te winnen dat het bijna te belachelijk voor woorden is. Ze wil dat we 'vriendinnen' met haar worden. Ze wil met ons lunchen, naar een beautyfarm en weet ik al niet meer. Maar onze moeder...' Anne heeft het moeilijk. Uit haar avondtasje pakt ze een zakdoek, en ze veegt de tranen uit haar ogen.
Bij zo veel verdriet breekt mijn hart. Ik sta op en neem naast haar plaats. Ik sla een arm om haar heen. 'Ik kan maar een eindje met jullie meegaan. Ik heb zelf geen kinderen. Aan de ene kant zien jullie het geluk van Bob, aan de andere kant het verdriet van Lies. Daartussenin zitten jullie.'
Anne en Lotte knikken allebei.
'Natuurlijk gunnen we pa zijn nieuwe liefde, maar toch...'
Ik knik begrijpend. 'Jullie moeten ook de tijd krijgen en nemen om aan de nieuwe situatie te wennen.' Het is een feit dat Annet nogal een dwingeland is. Dat heb ik in onze praktijk maar al te vaak ondervonden. In haar privéleven is zij dus net zo. Voorzichtig breng ik dit onder woorden. Ik wil absoluut niet de indruk wekken dat Annet een verschrikkelijk mens is. Ze heeft ook haar

goede kanten. Dat probeer ik de zussen ook duidelijk te maken. 'Jullie moeten elkaar de tijd geven,' is dan ook mijn advies. Ik besef heel goed dat de beste stuurlui nog altijd aan wal staan. Ik besluit wel dieper op de gemoedstoestand van Lies in te gaan.
'We maken ons ongerust,' gaat Lotte aarzelend verder. Ze is zeker bang dat ik nu toch te dichtbij kom. 'Ze zit daar maar alleen in die grote villa. Ze weet zich geen raad hoe het in de toekomst moet.'
Ik herken de signalen maar al te goed. Dringend adviseer ik dan ook dat Lies hier met een professioneel iemand over gaat praten. 'Iedere situatie is anders. Als ik naar mijzelf kijk na mijn scheiding...' Ik kijk ze dwingend aan. 'Beloof me, dat jullie Lies naar iemand toe sturen. Desnoods dwing je haar, ga met haar mee. Want anders loopt het verkeerd af. Ik ken Bob nu een beetje, en ik vermoed dat hij jullie daarbij wel zal willen helpen.' Ik kijk hen afwachtend aan.
'Dat denk ik ook wel,' beantwoordt Anne behoedzaam mijn vraag. 'Hij werd de laatste tijd zo opgeslokt door allerlei zaken. Ik durfde hem niet lastig te vallen met onze zorgen over mams. Bovendien is Annet altijd aanwezig, en wanneer zij de naam Lies hoort, zit ze al op de kast.'
Ik benadruk nogmaals dat het belangrijk is dat Lies hulp zoekt.
Anne en Lotte beloven mij dat ze het onderwerp bij hun ouders zullen aankaarten.
De tijd vliegt voorbij. Ik kom heel wat te weten over de dochters van Bob. We hebben een aantal dingen gemeen. Lotte is klaar met haar studie rechten, en ze is aangenomen als advocaat-stagiaire bij een kantoor in Amsterdam. Ze is verrast wanneer ik vertel dat ik juridisch secretaresse ben geweest. Anne werkt bij de gemeente Amsterdam als beleidsmedewerkster. Een van haar hobby's is borduren. Gespreksstof genoeg dus. We vergeten helemaal dat we eigenlijk bij het feest behoren te zijn. Maar dit is veel leuker en gezelliger. Af en toe dringen er achtergrondgeluiden uit de grote zaal in onze ruimte door. Maar daar storen we ons niet aan. We praten en praten. De dames zijn vrijgezel. Allebei wonen ze in Amsterdam, niet zo ver bij elkaar uit de buurt. Spontaan nodig ik hen uit om volgende week zondagmiddag bij mij op de thee te komen. De ogen van Anne en Lotte beginnen te stralen.

'Dan maak ik een *high tea*,' beloof ik.
'Meen je dat?' vraagt Lotte. 'Daar zijn we allebei dol op.'
'Ik ook', grinnik ik. 'In je eentje doe je dat niet zo snel. Het is best veel werk. Ik zal jullie eens goed verwennen. Dat hebben de dames Petersen wel verdiend.'
Meteen wordt onze afspraak in de agenda geschreven, zodat deze niet kan worden vergeten. Natuurlijk willen Anne en Lotte ook alles van mij weten. Nu valt er over mij niet zo veel te vertellen, vind ik zelf, maar daar denken zij anders over. Kortom, de tijd vliegt voorbij.
Dan ineens kijk ik op mijn horloge. Ik schrik, want het is al veel later dan ik dacht. Ik ben geen nachtbraker, en om deze tijd zou ik dus allang naar dromenland vertrokken zijn. Ik besluit een taxi te bellen en sta op het punt afscheid te nemen van Anne en Lotte.
Ze kijken me allebei teleurgesteld aan.
Ik kan een glimlach niet onderdrukken. 'Als we nu nog verder kletsen, hebben we de volgende week niets meer om over te praten.' Een vrolijke twinkeling verschijnt in mijn ogen.
We kijken elkaar aan en giechelen als schoolmeisjes. We lopen naar de grote zaal, waar het feest nog in volle gang is.
Tussen de mensenmenigte probeer ik Bob en Annet te vinden, evenals Yvonne en Linda. Het is zo druk dat ik ze niet zo een-twee-drie kan ontdekken. Intussen rijdt de taxi al voor. Ik besluit dan maar weg te gaan zonder afscheid te nemen, hoewel dat niet mijn gewoonte is. 'Willen jullie de hartelijke groeten doen aan Bob?' vraag ik aan Anne en Lotte.
'Dat zullen we zeker doen,' zegt Anne grijnzend.
Ik loop naar de garderobe en krijg van de dame mijn jas. Dan neem ik hartelijk afscheid van de zussen: 'Sterkte, meiden.' Ik pak hen allebei eens lekker beet.
Lotte geeft mij nog een warme omhelzing en zegt met tranen in haar ogen: 'Ik kan niet begrijpen wat pa in die heks van een Annet ziet. Als ik hem was, had ik jou genomen.' Dat is nog eens – wat je noemt – het hart op de tong hebben.
Ik zeg niets. Wat moet ik daarop antwoorden?
Dan schrikken we op door een geluid.
In de deuropening staat Annet. Aan haar gezicht te zien heeft ze

de laatste woorden opgevangen. Ze kijkt me vernietigend aan en draait zich hooghartig om.
We weten met de situatie geen raad.
De taxichauffeur kucht nog eens discreet.
Ik geef Anne en Lotte nogmaals een zoen en maak dat ik wegkom.
In de taxi bedenk ik dat we drie eenzame zielen zijn die elkaar hebben gevonden. Over de reactie van Annet probeer ik mij maar niet druk te maken, al besef ik heel goed dat dit muisje nog weleens een vervelend staartje kan krijgen.

HOOFDSTUK 9

Vanwege de première is de praktijk gesloten. Dat betekent de volgende morgen heerlijk uitslapen. Ik ben reuze benieuwd naar wat de kranten over de film geschreven hebben. Na een uitgebreid ontbijt besluit ik dan ook naar de kiosk op de hoek te gaan. Dan heb ik meteen een wandeling. En ik neem ruim de tijd om in de tijdschriften te neuzen. Ik kom niet met lege handen thuis. Er is een aantal nieuwe tijdschriften op de markt. En de kranten natuurlijk. Ik hoop zo dat Bob positieve reacties heeft gekregen op zijn film. Al zegt dat natuurlijk niet alles. Hoe vaak wordt een film niet de hemel in geprezen, en blijven de zalen niettemin leeg? Andersom komt ook voor: een film wordt door de recensenten genadeloos neergesabeld, maar het publiek stroomt massaal toe, en de film wordt het kassucces van het jaar.
Thuisgekomen zoek ik meteen de filmpagina op. Alle kranten schrijven met lof over het debuut van Bob. Eén krant schrijft zelfs over het optreden van Lenny Kuhr. Hè, wat jammer. Dat heb ik dus gemist. Het schijnt dat ze de titelsong live heeft gezongen. Dat zal dan zeker gebeurd zijn toen ik bij Anne en Lotte was. Met een tevreden gezicht sla ik de kranten dicht. Nu maar hopen dat het publiek de film ook weet te waarderen. Van Annet begreep ik dat Bob er zelf een flink bedrag in heeft geïnvesteerd om zijn droom te kunnen waarmaken.
Dan besluit ik nog een wandelingetje te maken: naar de platenwinkel. Hoewel, die kun je nauwelijks meer zo noemen. Boeken, dvd's, video's, spelletjes... Je kunt het zo gek niet opnoemen of ze verkopen het. Maar ik ga voor de ouderwetse cd-single. Nu weet ik de weg niet zo in zo'n zaak, maar een aardig jongmens wil mij wel helpen. Zo ga ik met mijn cd-single van Lenny Kuhr weer op huis aan. Martine heeft altijd op de achtergrond zachtjes de radio

aan. Ik zal haar vragen of ze voor mij in de gaten wil houden hoever Lenny met dit nummer komt. Tenslotte heb ik Bob een massage beloofd als ze niet op de hoogste plaats van de hitlijst terechtkomt. Ik geloof er heilig in. Dit wordt de tweede nummer-één-hit, na 'Visite', voor onze Lenny.
Wanneer ik thuiskom, blijken er twee berichten te zijn ingesproken op mijn antwoordapparaat, allebei van Anne en Lotte. Ze zijn dolblij dat ze met mij hebben kennisgemaakt en kijken uit naar de *high tea*. Anne gaat nog een stapje verder. Ze vond het fijn dat ze haar hart bij mij heeft kunnen uitstorten. Ze eindigt met de boodschap: 'Ik hoop dat er een fijne vriendschap tussen ons zal ontstaan. Aan mijn zus en mij zal het niet liggen.'

'Je hebt heel wat gemist.' Yvonne kijkt me lachend aan wanneer ik de volgende morgen de keuken binnenstap.
Ik begrijp meteen wat ze bedoelt. 'Het optreden van Lenny Kuhr.' Yvonne knikt.
'Ik weet het.' Met een blik van spijt kijk ik haar aan. 'Ik was in gesprek met Anne en Lotte, de dochters van Bob. Ik wist niet dat er een optreden van Lenny op het programma stond.'
Yvonne reikt mij een beker thee aan. 'Wat een stem heeft dat mens zeg. Niet te geloven. Ik had haar altijd nog alleen maar in verband gebracht met 'Visite', 'Maar ja' en meer van dat soort gedoe, zal ik maar zeggen. Blijkt ze een hele ontwikkeling doorgemaakt te hebben. Ze zingt nu luisterliedjes. Ik ben zo onder de indruk dat ik wel een concert van haar zou willen bijwonen.'
Verheugd spring ik op, want dat wil ik ook.
Yvonne kijkt me lachend aan. 'Linda had al een donkerbruin vermoeden dat jij daar ook heen wilt. Zo te zien heeft ze raak geschoten.'
Ik kijk Yvonne stralend aan. De afspraak staat meteen vast. Yvonne vraagt straks aan Martine of ze de Theaterkassa wil bellen met de vraag wanneer Lenny een keer bij ons in de buurt optreedt.
Martine komt binnenwaaien. Aan haar enthousiaste verhalen te horen vond zij het ook een geslaagde avond. Ze kan er nog steeds niet over uit dat ze zo veel bekende Nederlanders bij elkaar heeft gezien. En al die handtekeningen die ze heeft gekregen. Haar

boekje, dat ze speciaal voor die avond had aangeschaft, is bijna helemaal vol.
Glimlachend horen Yvonne en ik haar aan.
Dan komt Annet binnen. Er kan nog net een 'goedemorgen' vanaf, maar er klinkt een ijskoude ondertoon in haar stem door.
Meteen is de gezellige en ongedwongen sfeer voorbij. De spanning is voelbaar.
Annet kijkt me met ingehouden woede aan, en ik zie de bui al hangen.
Yvonne probeert de spanning te doorbreken door te vragen hoe Bob de reacties op zijn film vond.
Annet heeft daar geen oren naar. Ze geeft Yvonne niet eens antwoord. Ze loopt op mij af en neemt een uitdagende houding aan. Haar ogen fonkelen van woede, en dan begint ze te spuien.
Ik drink intussen rustig mijn thee op. Uiterlijk merkt niemand iets aan mij, maar vanbinnen begint het te koken. Ik hoop dat mijn rustige uitstraling Annet iets zal kalmeren. Helaas heeft die een tegengesteld effect: Annet wordt kwader en kwader. Dat kan ik zien aan de rode vlekken in haar gezicht.
'Wat bezielde je nu ineens?' bijt ze me toe. 'Ik doe van alles om bij de dochters van Bob in een goed blaadje te komen. Niets lukt. Jij komt als een toevallige voorbijganger even langs, en meteen is het vriendschap van de bovenste plank.'
Nog steeds zeg ik niets. Ik neem nog maar een slokje.
Martine schuift ongemakkelijk op haar stoel heen en weer, terwijl Yvonne verbijsterd van de een naar de ander kijkt.
Annet raast door: 'Ik heb je wel door, hoor, Else-Marie Verbeke. Kijk maar niet zo onschuldig. Je bent echt niet zo engelachtig zoals je eruitziet.'
Daar schrik ik van. Het zal toch niet op Marion slaan? Mijn hart gaat als een razende tekeer.
Een priemende wijsvinger van Annet komt in mijn richting. Ze slaat helemaal op tilt. 'Jij wilt Bob van mij afpakken. Geef het maar toe. Je ziet best wel wat in hem.' Hier houdt Annet even op om adem te halen. Dan gaat ze verder met haar getier: 'Je krijgt Bob niet. Bob is van mij, van mij alleen...'
Voor mijn geest verschijnt het beeld van Mark. Bob? Annet mag

hem houden, hoor. Ik zou hem niet eens willen, al was hij met goud behangen. Ik wil alleen Mark.
Yvonne, de vredestichtster, probeert Annet te kalmeren.
Nog steeds neem ik, uiterlijk kalm, kleine slokjes van mijn thee.
Annet is niet meer te stoppen, ondanks de verwoede pogingen van Yvonne.
'Annet, houd eens even je klep.' Voor mijn doen kom ik scherp uit de hoek. Ik sta op en ga voor haar staan. Nu is het mijn beurt. Al veel te lang heb ik mijn mond gehouden. 'Hoe haal je het in je hoofd dat ik Bob van je af wil pakken. Waar ik wel mee zit, is dat jij geen rekening blijkt te houden met de gevoelens van zijn dochters. Die meiden zitten tussen twee vuren. Aan de ene kant een dolgelukkige vader, en aan de andere kant een depressieve moeder. Hun loyaliteit wordt wel op de proef gesteld. Heb je daar weleens over nagedacht? Nee, egoïstisch kreng dat je bent. Anders zou je heel anders hebben gereageerd.' Ik snak naar adem.
Annet is nog steeds niet tot bedaren te brengen. Toch is ze geschrokken van mijn uitbarsting. Dat zie ik wel aan haar gezicht. Dan verandert haar gelaatsuitdrukking. Er verschijnt een spottende blik in haar ogen, en onverschillig haalt ze haar schouders op. 'Dat jij geen kinderen hebt gekregen, wil nog niet zeggen dat je je moedergevoelens maar over Anne en Lotte moet uitstrooien.'
Dat is voor mij de druppel die de emmer doet overlopen. Ik loop op haar af en bijt haar toe: 'Secreet dat je bent!' Voordat ik het weet, geef ik Annet een klap in haar gezicht. Met opgeheven hoofd loop ik de keuken uit. De deur knal ik achter mij dicht, en woedend loop ik naar mijn praktijkruimte. Daar laat ik mijn tranen de vrije loop. Natuurlijk heb ik meteen spijt van mijn reactie. Met mijn handen voor mijn gezicht probeer ik alles op een rijtje te zetten. Dit is voor het eerst in mijn leven dat ik iemand heb geslagen. Meestal was het andersom, bedenk ik met enige zelfspot, en kreeg ik slaag. Ben ik nu zo gezakt naar het niveau van Annet? Ik probeer mezelf wijs te maken dat het van haar een jaloerse reactie moet zijn geweest. Die opmerking over Bob is pure onzin, maar het verdriet en de machteloosheid van Anne en Lotte staan op mijn netvlies gebrand. Dan die opmerking over het moederschap. Dat was een dolkstoot. Dat had zo niet gehoeven. Ik be-

sluit mijn excuses aan Annet aan te bieden. Ik loop naar de praktijkruimte van Annet. Eenmaal binnen is ze zo mak als een lammetje. Dat wekt bij mij enig wantrouwen. Dit is helemaal niets voor Annet.
'Annet,' begin ik resoluut, 'ik kom mijn excuses aanbieden. Ik had je niet mogen slaan.' Over het terugnemen van mijn woorden zeg ik niets.
Ze kijkt mij aan. Haar ogen flikkeren nog steeds. 'Laat maar, het is al goed,' zegt ze met vlakke stem.
Ik ben er niet gerust op.
Dan wordt haar stem weer zo hard als glas. 'Als je maar goed beseft dat onze vriendschap nu over is. Goed, wij zijn zakenpartners en collega's, maar meer dan dat ook niet.'
Dat zat er wel in. Ik knik slechts. 'Mag ik je een goede raad geven, wat Anne en Lotte betreft?' Ik wacht niet eens haar antwoord af. 'Gun hun de tijd. Dan komen ze vanzelf naar je toe.'
Stroef klinkt het uit haar mond: 'Dank je wel. Ik doe het liever op mijn eigen manier.'
Daarmee is het onderwerp afgesloten.
Ook tussen de middag hangt er nog steeds spanning in de lucht. Zowel Yvonne als Martine doet haar uiterste best om er iets van te maken, maar het wil maar niet lukken.
Ook ik probeer een verzoeningspoging in de richting van Annet. 'Heb jij het mobiele nummer van Bob voor mij?' Ik kijk haar vragend aan.
Ze trekt verbaasd haar wenkbrauwen op. 'Wat moet jij daar nu mee?' De neerbuigende toon in haar stem ontgaat mij niet. 'Ik wil hem graag feliciteren met de goede kritieken in de krant,' antwoord ik luchtig.
Annet schudt welbewust haar hoofd. 'Nee, dat geef ik niet zomaar. Dat krijgen alleen goede vrienden van mij.'
Die opmerking kan ik mooi in mijn zak steken. Nonchalant haal ik mijn schouders op. 'Dan niet.'
Annet kijkt mij peinzend aan. 'O ja, voordat ik het vergeet: de seizoenskaart mag je ook houden.'
Daar was ik al bang voor. Zonder er verder op in te gaan schenk ik nog een beker melk in.

Zowel Martine als Annet maakt dat ze eerder wegkomt. Volgens het rooster hebben Yvonne en ik de opruimbeurt.
Tijdens de afwas begint Yvonne over wat er die morgen is voorgevallen. 'Ik vind het dapper van je dat je je zo hebt geweerd tegen Annet. Dat had ze nu net nodig: dat ze eens flink op haar nummer werd gezet.'
Ik kijk Yvonne met een trieste blik aan. 'Dat zeg je nu wel zo mooi, Yvonne de Wit, maar je hebt waarschijnlijk wel begrepen dat de vriendschap met Annet over is. We zijn nu alleen nog maar op zakelijk gebied met elkaar verbonden.'
Bemoedigend slaat Yvonne een arm om mij heen. 'Kijk, dat slaan was verkeerd, hoewel ze het, eerlijk gezegd, wel had verdiend, vooral vanwege die laatste opmerking.'
Weer die stille pijn in mijn hart. 'Laten we er maar over ophouden. Ik heb Annet meteen mijn excuses aangeboden, en die heeft ze geaccepteerd. Voor het overige...' Met een sopdoekje maak ik de tafel schoon.
'Je kunt altijd bij mij terecht'. Ernstig kijkt Yvonne mij aan.
'Dat weet ik. Dank je wel.'
Dan is het ook voor ons tijd om weer aan de slag te gaan.
Martine zit weer achter de balie.
Ik buig mij voorover en vraag haar of ze de tipparade, top 40 of hoe dat vandaag de dag ook mag heten, voor mij wil volgen. Ze kijkt mij verbaasd aan.
'Ik wil weten hoe hoog Lenny Kuhr eindigt met haar nummer.' Ik vertel haar van mijn weddenschap met Bob. Martine schudt haar hoofd. Aan haar gezicht is duidelijk te zien dat ze dit onzin vindt. Toch belooft ze dat ze het nummer in de gaten zal houden.

HOOFDSTUK 10

Ik ben nerveus. Vanmiddag komen Anne en Lotte op bezoek. Gisteren heb ik bijna de hele dag in de keuken gestaan om de *high tea* voor te bereiden. Met liefde heb ik alles klaargemaakt en mijn mooiste servies opgezocht. Het servies is nog van mijn moeder geweest. Ze heeft het als huwelijkscadeau van mijn vader gekregen. Mijn moeder is er altijd heel zuinig op geweest. Het stond in haar servieskast en kwam er alleen op hoogtijdagen uit. Ze heeft mij eens verteld dat ze het zo zonde vond om het te gebruiken dat ze meteen na haar huwelijk haar eigen bord en bestek van thuis had meegenomen. Aan mijn vader had ze hetzelfde gevraagd. Ik vond het maar een raar verhaal. Je krijgt van iemand een servies, nou, dan moet je het gebruiken ook. Mijn moeder was bang dat er een stukje van af zou gaan of, nog erger, dat ze het uit haar handen zou laten vallen. Nu, na al die jaren, ben ik blij om de zuinigheid van mijn moeder en de waarde die ze er toen in zag. Het is nog helemaal compleet. Ook tijdens *mijn* huwelijk kwam het alleen met Pasen, Kerstmis en onze trouwdag uit de kast. Ook ik was bang dat Bram, die dat allemaal maar emotionele onzin vond, het uit zijn handen zou laten vallen. Ik alleen mocht eraan komen, niemand anders. Voorzichtig en met veel genegenheid pak ik alles uit mijn servieskast. Het zijn kostbare herinneringen, die niemand je kan afnemen, maar die tegelijkertijd onvervangbaar zijn. De bonbons komen op een apart schaaltje, dat niet bij het servies hoort. Het is van Delfts blauw gemaakt, en de molen van de woonplaats van mijn vader staat erop. Dit was zijn cadeau voor hun verloving. Ook dit erfstuk kwam alleen tijdens hoogtijdagen op tafel. Ik glimlach om de herinnering.
Dan schrik ik op. De bel gaat, de dames komen eraan.
Ik ben weer voor niets zenuwachtig geweest. Anne en Lotte zijn

nog net zo spontaan als tijdens de avond van de première. Deze middag wordt de basis gelegd voor een jarenlange vriendschap.
Anne staat verrukt te kijken bij een borduurwerk dat ik gemaakt heb. Ze blijkt met hetzelfde ontwerp bezig te zijn. Ze kan haar ogen er niet van afhouden.
Lotte plaagt haar ermee. 'Je moet wel een beetje doorborduren hoor. Nu weet je hoe het eruitziet wanneer het af is.'
Belangstellend vraag ik hoever zij er al mee is.
Verlegen antwoordt Anne dat ze nog niet eens een kwart ervan af heeft.
Lotte vraagt hoelang ik erover heb gedaan.
'Anderhalf jaar,' is mijn antwoord.
Het gezicht van Anne betrekt. Zij heeft nog heel wat werk voor de boeg. 'Het is ook een pronkstuk,' zegt ze met een gezicht dat boekdelen spreekt.
Ongemerkt komt het gesprek op Lies terecht.
'We hebben het er nog niet met pa over gehad. Hij is nog steeds druk bezig met interviews en zo. Maar we hebben wel met onze moeder gepraat.'
Ik ben benieuwd of ze Lies hebben kunnen overtuigen. Het is een pak van mijn hart dat Lotte vertelt dat Lies inderdaad ook inziet dat het zo niet langer gaat. Anne heeft volgende week een lunchafspraak met Bob, en dan zal ze de kwestie aankaarten.
'Else-Marie, mag ik je iets persoonlijks vragen?' Anne kijkt me verlegen aan en weet met haar houding geen raad. Ook bij Lotte bespeur ik iets van onrust. Ik kijk hen allebei vragend aan.
'Natuurlijk, ga je gang,' is mijn antwoord.
Anne komt terug op de woorden van Lotte bij ons afscheid na de première. 'Annet heeft dit gehoord. Heeft zij er nog iets over gezegd?'
Nu is het mijn beurt om ongemakkelijk op mijn stoel heen en weer te schuiven. 'Ja, dat heeft zij inderdaad,' antwoord ik voorzichtig. Nog steeds vind ik het moeilijk. Toch besluit ik eerlijk te zijn. Ik vertel dat de vriendschap met Annet, voor zover die al bestond, nu voorgoed verleden tijd is. Over het feit dat ze heeft gedacht dat ik het met Bob wilde aanleggen, zwijg ik. 'Ik vind het alleen zo jammer van mijn seizoenskaart voor het theater.' Ik leg Anne en Lotte

uit dat het niet zo leuk is alleen naar het theater te gaan. ‘Er zit niets anders op dan dat ik het toch maar doe. Dan heb ik in ieder geval ruimte om mijn tasje neer te leggen.’
Anne schiet in de lach.
‘Wat voor voorstellingen zijn het?’ vraagt Lotte nieuwsgierig.
Ik loop naar mijn secretaire en haal het programmaboekje tevoorschijn.
‘O, maar daar wil *ik* wel met je naar toe,’ is de spontane reactie van Anne wanneer ze ziet wat Annet en ik hebben uitgekozen. ‘Als je dat leuk lijkt tenminste,’ zegt ze er verlegen achteraan.
Ik heb er geen bezwaar tegen.
Ook Lotte bekijkt het programmaboekje en vindt een aantal voorstellingen van haar gading. Ze pakken hun tas en geven mij het geld voor de kaartjes.
‘Kunnen jullie dit niet beter zelf aan Annet geven,’ aarzel ik voordat ik het geld aanneem.
‘Doe jij het maar,’ neemt Lotte weer het woord. ‘Wij willen eigenlijk zo min mogelijk met haar te maken hebben.’
Daar is Anne het niet mee eens. ‘Nu zadelen we Else-Marie met een probleem op.’
Met een nonchalant gebaar wuif ik dat bezwaar weg. Erger dan het nu is, kan het toch niet worden.

De maandag erop overhandig ik tijdens het werkoverleg de envelop aan Annet. Ik leg uit dat ik met een aantal vriendinnen naar de overige voorstellingen ga. In de envelop zit het geld van haar kaartjes. Annet vraagt niet wie die vriendinnen zijn, en neemt zwijgend de envelop in ontvangst.
Het blijft niet bij privécontacten. Zowel Anne als Lotte wil een behandeling door mij. Daar komt een nieuw probleem bij om de hoek kijken. Gewoonlijk hoeft dat niet zo te zijn, maar in dit geval ligt het toch wat anders. Ik wil Annet niet voor de voeten lopen. Eerlijk is eerlijk: zij zou natuurlijk het liefst de behandeling van de gezusters Petersen willen doen. Voorzichtig kaart ik het onderwerp bij Anne en Lotte aan. Geen denken aan: zij willen per se door mij behandeld worden. Nu zijn we nog steeds niet in de gelegenheid om cliënten te weigeren. Met deze opmerking zet Annet

mij regelmatig voor het blok. Wanneer wij op een morgen nieuwe cliënten bespreken, is het dus mis. Annet ziet groen en geel van jaloezie. Het is overduidelijk dat ze Anne en Lotte tot haar cliëntenkring wil rekenen. Ze zegt er verder niets over, maar haar gezicht spreekt boekdelen.
Op een avond wordt er gebeld.
'Dag, Bob, kom maar boven. Ik zet het koffieapparaat alvast aan.'
Inderdaad is het Bob. Hij reageert heel verbaasd wanneer hij mijn keuken in loopt. 'Dag, Else-Marie, ik kijk even buiten het raam.'
Ik weet waar hij heen wil. Bob vraagt zich af of ik een spionnetje, een spiegel buiten aan mijn raam, heb hangen. Helaas niet.
Teleurgesteld komt hij terug. 'Nu wil ik wel graag weten hoe je wist dat ik het was.'
Ik lach hem toe. 'Zo vaak krijg ik geen mannenbezoek,' zeg ik met een knipoog. 'Ik wist gewoon dat jij het was.' Nu heb ik de kans om Bob te feliciteren met de goede kritieken voor zijn film.
Met een brede lach neemt hij die in ontvangst. Dan wordt zijn gezicht weer ernstig. 'Ik had verwacht dat jij die felicitaties mij wel telefonisch zou overbrengen.'
Een rode blos kleurt mijn gezicht. 'Ik had je nummer niet,' verdedig ik mijzelf. Volgens mij is Bob dus niet op de hoogte van wat er zich allemaal in de garderobe heeft afgespeeld en wat er daarna gebeurd is.
'Dat had je toch aan Annet kunnen vragen?' Bob kijkt mij onderzoekend aan. Hij weet echt van niets.
Voorzichtig, zoekend naar woorden, vertel ik alles van begin tot eind.
Met stijgende verbazing en verontwaardiging luistert Bob naar mijn verhaal.
Ook het vervolg breng ik ter sprake. Annet heeft dus echt niets gezegd. Dat is vreemd, bedenk ik. In een goede relatie vertel je toch dat er iets is voorgevallen op je werk. Zeker wanneer je praktijkgenote je een klap heeft gegeven. Met het schaamrood op mijn kaken vertel ik ook dat laatste.
Bob legt zijn hand op de mijne. 'Daar moet een reden voor zijn geweest. Jij bent niet iemand die een ander zomaar slaat.'
Ik twijfel: zal ik wel of zal ik niet? Ik besluit tot het eerste. Dat de

opmerking over het gemiste moederschap mij zo'n pijn deed. 'Maar bovenal die opmerking dat ik jou van haar wilde afpakken,' besluit ik zachtjes mijn verhaal.
Het blijft stil.
Er staan tranen in mijn ogen wanneer ik Bob aankijk. 'Het is echt mijn bedoeling niet, Bob, je te versieren of wat dan ook. Annet is om een of andere reden doodsbang je kwijt te raken.' Wanhopig kijk ik hem aan.
Bob geeft op zijn rustige, kalme manier antwoord. 'Ze heeft daar ook geen reden toe. Wat haar wel dwarszit, is de houding van mijn dochters. Het lijkt niet tot haar door te dringen dat haar verwoede pogingen om Anne en Lotte voor zich te winnen tot niets leiden. Dat is mij een paar weken geleden duidelijk geworden toen ik Anne sprak.' Bob vertelt ook openhartig dat Lies nu onder behandeling van een psycholoog is om alles een plek in haar leven te geven. Daar ben ik blij om.
'Weet je waar *ik* blij mee ben?' Bob kijkt mij doordringend aan. 'Dat jij de harten van mijn dochters hebt veroverd. Nou moet je me niet zo verbaasd aankijken, Else-Marie Verbeke. Je hebt hen in hun waarde gelaten toen ze hun verhaal tegen je vertelden. Je hebt mij niet veroordeeld, noch Annet, en je hebt geprobeerd je in hun gevoelens in te leven. Ook tegenover Lies. Vind je het vreemd dat ze dol op je zijn?'
Ik bloos bij het compliment, maar voel me er toch wat ongemakkelijk onder. 'Ik probeerde hun alleen maar een hart onder de riem te steken.'
'Dat is je goed gelukt,' is de stellige overtuiging van Bob.
'Alleen jammer dat de vriendschap met Annet nu definitief voorbij is. Dat heeft ze mij wel heel duidelijk gemaakt.' Met een trieste blik in mijn ogen maak ik die laatste opmerking.
Er komt een afkeurende trek op het gezicht van Bob. 'Daar is het laatste woord nog niet over gezegd.'
Angstig kijk ik hem aan. 'Alsjeblieft, maak het nu niet erger dan het al is. We kunnen nu nog samen door een deur, en dat wil ik graag zo houden.'
Bob knikt begrijpend. Hoe hij het probleem wil oplossen, vertelt hij niet.

Ik wil het ook niet weten. Anne en Lotte zijn goede vriendinnen geworden. Dat staat helemaal buiten *Iris*.
Na nog wat gezellig gekletst te hebben, vindt Bob het tijd om afscheid te nemen.
Ik loop met hem mee naar buiten. Ik sla mijn armen om zijn nek en kus hem op zijn wangen. 'Wat ben jij een lieve vader,' zeg ik op warme toon. Bob doet mij denken aan mijn eigen vader.
Bob drukt mij even tegen zich aan. Er komt een lach op zijn gezicht. Dan knijpt hij voorzichtig in mijn wang. 'Maak je maar geen zorgen over Annet. En ik juich je vriendschap met mijn dochters alleen maar toe.'
Ik kijk hem lang na in de deuropening.
Een paar dagen later bespeur ik toch een andere houding van Annet tegenover mij. Ze wordt wat vriendelijker, en soms merk ik dat ze op haar manier toenadering zoekt. En ik ben gelukkig absoluut niet haatdragend. (O nee, vraagt een stem in mijn achterhoofd. En Marion van der Laan dan?)
De rust daalt weer neer in onze praktijk.
Helaas is deze echter van korte duur. Ongeveer twee weken na het bezoek van Bob komt Martine met een verhit gezicht de keuken in. Yvonne en ik zitten net aan tafel wanneer Martine opgewonden begint te vertellen dat ik in een blad sta.
Trots sta ik op. 'Je gaat me toch niet vertellen dat ik uitgeroepen ben tot de beste masseuse van Nederland?' Ik doel op het feit dat er in ons vakblad regelmatig artikelen verschijnen over redactieleden die *undercover* massagepraktijken bezoeken en deze dan een cijfer geven. Een soort kwaliteitstest dus.
Martine kijkt me stomverbaasd aan, terwijl ze een lok uit haar bezwete gezicht veegt. 'Nee, dat bedoel ik niet. Volgens dit,' en Martine zwaait met een roddelblad, 'ben jij de nieuwe vriendin van Bob.'
Yvonne en ik kijken elkaar aan en liggen in een deuk.
'Laat eens zien,' vraag ik, maar Martine duwt het blad al in mijn handen. 'Ik sta niet eens op de voorkant,' reageer ik teleurgesteld. Ik sla de bladzijden om op zoek naar het verhaal. Omdat we het artikel niet met z'n drieën tegelijk kunnen lezen, besluit ik het verhaal voor te lezen.

Is de liefde van Bob voor zijn Annet al voorbij?
Bob Petersen, voormalig filmacteur en tegenwoordig regisseur, straalde met zijn nieuwe liefde Annet de Vries op de première van zijn eerste film. Maar lang heeft deze liefde niet standgehouden. Onze fotograaf betrapte Bob terwijl hij innig afscheid nam van een vrouw. Pikant detail hierbij is dat zij boven de praktijk van Annet de Vries woont en waarschijnlijk ook deel uitmaakt van het team van Annet. Bob Petersen bleef geruime tijd bij de vrouw, en kwam pas na een aantal uren weer naar buiten. Het tweetal nam ruimschoots de tijd om afscheid van elkaar te nemen. Daarbij kneep Bob de onbekende vrouw liefdevol in haar wang. De eerste film van Bob Petersen is hard op weg om het Nederlandse kassucces van dit jaar te worden. De overstap van voor de camera naar een plaats erachter heeft hem geen windeieren gelegd. Ook in de liefde gaat alles naar wens voor Bob.

We komen niet meer bij van het lachen.
'Wat een onzin,' hik ik, en ik veeg de tranen uit mijn ogen. 'Wat een fantasie heeft die journalist, zeg.' Dan word ik serieus. 'Bob is inderdaad bij mij geweest. Vreemd. Ik kan mij helemaal geen fotograaf herinneren.'
'Geen wonder,' grinnikt Yvonne. 'Jullie gingen blijkbaar zo in elkaar op tijdens het afscheid nemen.' Dan wordt zij ook serieus. 'Er bestaat ook nog zoiets als camera's met telelenzen.'
Ik haal mijn schouders op. 'Volgende week wordt dit blad gebruikt om het hok van een konijn te verschonen.'
Weer krijgen we de slappe lach.
Dan stormt Annet binnen. Ook zij heeft het bewuste blad in haar handen. 'Heb je het gelezen?'
De tranen stromen over mijn wangen. Als ik niet oppas, krijg ik nog de slappe lach, en dan is het leed niet te overzien. Voordat ik dan gekalmeerd ben.
Iedereen barst in lachen uit, behalve Annet. Haar gezicht staat op onweer. Met een nijdig gebaar gooit zij het blad op de keukentafel. Haar ogen spuwen vuur. 'Je hebt het weer mooi voor elkaar. Ik wist niet eens dat Bob bij je op bezoek is geweest. Nu moet ik uit

een blad vernemen dat jij een verhouding met hem hebt. Hoelang is dit al aan de gang?' Woedend komt ze voor me staan.
Ik kom niet meer bij van het lachen.
Yvonne, die de ernst van de situatie inziet, probeert Annet te kalmeren. 'Kom op, Annet, je weet toch zelf dat dit de grootste kolder is. Else-Marie en Bob, hoe kom je erbij? Het is trouwens een roddelblad. Dat zegt toch al genoeg? En het is komkommertijd. Dit is puur en alleen als bladvulling geschreven.'
Annet aarzelt en krijgt iets onzekers over zich. Met een vermoeid gebaar strijkt ze met haar hand over haar gezicht. 'Je zult wel gelijk hebben. Ik schijn overal leeuwen en beren te zien. Het spijt me, Else-Marie, van mijn valse beschuldiging.' Het komt er oprecht uit.
Ik knik alleen maar.
Wanneer onze werkdag erop zit, vraag ik aan Annet of ze even bij mij in de keuken komt zitten. 'Waarom ben je nu zo bang dat je Bob kwijtraakt? Komt het doordat ik alleenstaand ben? Heb je dat bij meer vrouwen?' Het is wel een spervuur van vragen dat Annet naar haar hoofd krijgt. Ik wil het antwoord weten.
Aarzelend vertelt Annet dat ze inderdaad bang is. 'Ik ben zo gelukkig met Bob. Ik voel voor hem wat ik nog voor geen enkele andere man gevoeld heb. Ja, ik ben bang dat hij straks teruggaat naar Lies, ook al zijn ze nu officieel gescheiden.' Annet houdt op met praten, en ik zie dat de tranen in haar ogen staan. 'Ik ben ook bang hem kwijt te raken en straks toch weer alleen achter te blijven.'
Ik zwijg een poosje. Dan sta ik op en sla ik een arm om haar heen. 'Weet Bob dit?' is alles wat ik vraag.
Annet schudt haar hoofd.
'Praat er dan met hem over.'
Annet pakt uit haar handtas een zakdoekje en veegt daarmee haar tranen weg. 'Dat zal ik doen,' zegt ze zacht. Daarna gaat ze naar huis.
Ik blijf nog lang in de keuken zitten, vervuld van mijn eigen gedachten.

HOOFDSTUK 11

Het is alsof heel Utrecht door het griepvirus geveld is. De ene cliënt na de andere belt af. Op een donderdagmiddag heb ik ineens een aantal vrije uren. Mijn administratie is al bijgewerkt. Daar hoef ik me geen zorgen over te maken. Ik besluit naar de bibliotheek te gaan. Omdat het heerlijk winterweer is, pak ik de fiets. Ik moet er wel voor zorgen dat ik voor het donker weer thuis ben, want mijn achterlichtje is kapot, en zo handig ben ik niet dat ik dit zelf kan maken. Yvonne wel, en zij heeft beloofd aanstaande zaterdag langs te komen. Dan kijkt ze meteen ook de rest van mijn fiets na. Er staat een flinke bries wanneer ik op de fiets klim. Heerlijk, de wind over mijn gezicht. Op dit uur van de dag is het niet druk in de bibliotheek, en ik heb nu alle gelegenheid om eens lekker uitgebreid te snuffelen. Mijn jas hang ik in de garderobe, en ik geniet nu al. Zet Else-Marie in een boekhandel of bibliotheek, en je hebt geen kind aan haar. Dat was vroeger al zo, en ik ben in de loop van de jaren geen steek veranderd. Ik vergeet de tijd dus helemaal, zo ben ik verdiept in het zoeken naar geschikte boeken. Eindelijk heb ik een stapeltje bij elkaar. Ik wil naar de uitleenbalie lopen. Ik ben zo in gedachten dat ik niet in de gaten heb dat aan de andere kant van het rek ook iemand de hoek om wil. Ik bots dus tegen iemand op. Een pijnscheut door mijn linkerborst. Mijn knobbels. Van schrik en pijn laat ik de stapel boeken uit mijn handen vallen.
'Het spijt me,' hoor ik een stem zeggen.
Maar ik zak al door mijn knieën om de boeken bijeen te rapen. 'U heeft mij flink zeer gedaan,' bijt ik de man toe, zonder hem aan te kijken.
Dan die stem. Nu dringt het tot mij door.
'Mark?' vraag ik verbaasd, terwijl ik opkijk. Inderdaad, ik ben opgebotst tegen Mark van der Klooster.

Behulpzaam helpt Mark mij met oprapen. Hij geeft mij de boeken aan. 'Dag, Else-Marie, wat leuk dat ik je hier tref.'
Ik voel een blos opkomen, maar dat komt doordat ik met een ruk omhoogkom.
'Heb ik je zo'n pijn gedaan?' vraagt Mark, terwijl hij mij onderzoekend opneemt. 'Het was toch niet zo'n harde botsing, dacht ik zo.'
Ik lach verlegen terug. 'Ik heb een goedaardige borstziekte. Als ik me stoot, is het net alsof ik een elektrische schok krijg.' Mijn hemel, bedenk ik, zit ik zomaar met een wildvreemde vent over mijn borsten te praten.
Mark vindt het helemaal niet vreemd, al kijkt hij mij wel verlegen aan. 'Mag ik je, om het goed te maken, een kop koffie aanbieden? Of iets anders?'
Natuurlijk, ik zou wel gek zijn om nee te zeggen. Maar één blik naar buiten doet mij schrikken. 'O nee, dat kan niet,' kreun ik. Het is veel later dan ik dacht, en het begint al te schemeren. 'Ik zou dolgraag willen, Mark, maar je moet me niet uitlachen als ik vertel waarom ik niet kan.'
Mark kijkt mij nieuwsgierig aan.
Met het schaamrood op mijn kaken vertel ik dat mijn achterlampje kapot is. 'Op een bekeuring zit ik echt niet te wachten, want die zijn niet misselijk vandaag de dag.'
Tot mijn grote verbazing schatert Mark het uit. Zijn bulderlach galmt door de bibliotheek, en sommige mensen kijken verstoord in onze richting. Mark veegt ondertussen de tranen uit zijn ogen. 'Maak je daar maar niet ongerust over, hoor. Ik ben ook op de fiets, en ik breng je na afloop wel naar huis.'
Met een opgelucht gezicht neem ik de uitnodiging aan. We lopen samen naar de uitleenbalie en daarna trek ik mijn jas aan.
'Aan de overkant is een gezellig restaurant. Daar drinken we iets. Vind je dat goed?'
Ik vind alles best, al moet ik ervoor naar de andere kant van Utrecht fietsen. Er is echter nog iets wat niet zo leuk is, maar dat komt later wel.
Al pratend lopen we naar de overkant. Het is er niet druk, en onder het genot van een kopje koffie voor Mark en thee voor mij praten we verder. Bij de uitleenbalie heb ik stiekem over zijn

schouder meegekeken welke boeken hij meenam. Mark blijkt van literatuur te houden. Hij heeft boeken meegenomen die ik zelf ook in mijn kast heb staan. Er is dus gespreksstof genoeg.
Hoe gezellig het ook is, op een gegeven moment moet ik echt naar huis. Mijn maag begint te rammelen.
'Zullen we hier een hapje eten?' stelt Mark voor.
De ontmoeting neemt wel een heel onverwachte wending.
'Ze hebben hier een heerlijke kaart, en het is niet duur ook.'
Ik zou niets liever willen, maar zo veel geld heb ik niet bij me. Dat vertel ik hem dan meteen.
'Maakt niets uit,' wuift Mark mijn bezwaar nonchalant weg. 'Dat zit wel goed. Of ik je nu naar huis breng of over anderhalf uur, dat maakt ook niets meer uit.'
Mark blijkt dagdienst te hebben gehad en had van de gelegenheid gebruik gemaakt om naar de bibliotheek te gaan.
Het eerste wat ik deed toen ik in Utrecht kwam wonen, peins ik hardop, was lid worden van de bibliotheek. 'Vreemd dat ik je nooit eerder ben tegengekomen. Ik kom toch trouw iedere week, en als ze iets organiseren, een lezing of zo, ben ik ook altijd van de partij.'
Mark vertrouwt mij toe dat hij ook graag naar dergelijke avonden gaat. 'Helaas heb ik bijna altijd avonddienst wanneer ze iets organiseren. Het is alsof de duvel ermee speelt.'
Op mijn vraag of het dan niet mogelijk is te ruilen met collega's, kijkt Mark mij lachend aan. 'Avonddiensten zijn niet zo populair in onze wijk. En aangezien ik vrijgezel ben, weet je wel bij wie ze altijd aan de bel trekken.'
Het is ontzettend gezellig, en ik geniet van zijn gezelschap. Toch wil ik wel weten waarom hij na twee afspraken nooit meer is komen opdagen.
Nu is Mark degene die een lichte blos op zijn wangen krijgt, wat hem overigens nog aantrekkelijker maakt. Onhandig schuift hij op zijn stoel. Hij vertelt dat hij zijn rooster nog niet had gekregen, en dat er dus een aantal weekenddiensten voor hem waren ingeroosterd. Nadien durfde hij niet meer te bellen voor een nieuwe afspraak.
Ongelovig kijk ik hem aan. 'Dat had je rustig kunnen doen. Ik had

het je helemaal niet kwalijk genomen.' Met een nonchalant gebaar haal ik mijn schouders op. 'Als je wilt, kun je nog altijd een afspraak met mij maken, hoor. Ik werk tegenwoordig vaak op zaterdag.'
Mark kijkt me lachend aan, terwijl hij nog een slok van zijn koffie neemt. 'Marianne bedoel je. Ze heeft nu stukken minder last van haar schouders. Ik beloof je dat ik je een dezer dagen bel voor een afspraak.'
Mijn hartslag maakt overuren op deze manier. Maar aan alle leuke dingen komt een eind, ook aan het gezellige etentje.
'Ik betaal de helft, hoor,' waarschuw ik Mark wanneer hij wil afrekenen.
'Ga nou gauw weg. Ik vond het veel te gezellig.'
'Dan zouden we dit misschien vaker moeten doen,' zeg ik terwijl ik hem verlegen toelach. Ik krijg een verlegen lachje terug. 'Anders bel ik je wel voor een afspraak,' zeg ik er meteen achteraan.
Dan komt het uur U. Ik ben namelijk nachtblind. Na het gedoe met mijn achterlichtje had ik de moed niet meer om dit tegen Mark te zeggen. Ik zie er dan ook huizenhoog tegen op nu op de fiets te stappen. Ik besluit niets te zeggen en hoop dat ik heelhuids thuiskom. In het begin gaat het nog wel. Er is voldoende straatverlichting, en ik rijd aan de binnenkant. Mark is veel aan het woord, en ik luister alleen maar. Tenminste ik doe alsof, want ondertussen let ik goed op. Maar dan komt er een donker stuk. Ik raak in paniek. Ik zie niets anders meer dan duisternis, en ik gil nog net: 'Mark' voordat ik val. Met een smak kom ik met heel mijn gewicht op mijn rechterkant terecht. De grootste klap krijgt mijn schouder.
Mark stapt meteen af en helpt mij overeind.
Ik ben compleet over mijn toeren. De tranen stromen over mijn wangen en ik krijg geen zinnig woord uit mijn keel. Mijn stuur blijkt verdraaid te zijn.
Mark zet het recht. 'Ben je ergens over gevallen?' vraagt hij, terwijl hij meteen op onderzoek uitgaat.
'Laat me niet alleen. Ik zie geen hand voor ogen,' gil ik uit.
Mark is meteen weer bij me. 'Zo donker is het toch niet.'
Dan vertel ik haperend en stotterend dat ik nachtblind ben.

'Else-Marie toch,' zegt Mark vermoeid, 'waarom heb je dat niet eerder gezegd? Dan had ik je met de auto thuisgebracht.'
'Ik kan niet zonder mijn fiets,' breng ik er nog tegen in.
'Die had ik morgen dan wel met de politiebus bij je thuisgebracht. Je bent een gevaar op de weg.'
Ik hoor de verwijtende toon in zijn stem. Ik was enigszins bedaard, maar nu komen de tranen weer. 'Ik heb zo'n pijn in mijn arm.'
Een beetje politieagent heeft ook een EHBO-diploma, en dus onderzoekt Mark me. 'Niet gebroken,' probeert hij mij op te monteren. Hij rommelt wat in zijn jaszak en haalt er een pakje zakdoeken uit. 'Hier, snuit nu je neus maar eens.'
Gelaten doe ik wat hij vraagt. Ik sta nog steeds te trillen op mijn benen, en de tranenstroom is ook nog niet over.
Mark neemt mij in zijn armen. 'Huil nu maar eens flink uit. Beloof me wel dat je nooit, maar dan ook nooit meer alleen op de fiets erop uitgaat.'
Dat was ik ook beslist niet van plan. 'Daarom ga ik nooit 's avonds in het donker op de fiets,' beken ik tussen twee huilbuien door. Daar sta ik dan, met mijn droomprins, op het fietspad. De pijn in mijn schouder wordt al minder. Het trillen ook. Langzaam krijg ik het gevoel dat ik best weer verder kan fietsen. Maar ik leun zo lekker tegen Mark. Ik besluit niets te zeggen totdat Mark er een opmerking over maakt. Al blijven we zo uren staan. Alles voelt zo vertrouwd aan: de warme jas, zijn lichaamsgeur, zijn armen om mij heen. Toch krijg ik het op een gegeven moment koud.
Mark laat mij voorzichtig los. 'Denk je dat je verder kunt fietsen?'
'Ik zal wel moeten,' antwoord ik met een beverig lachje. Ik stap op de fiets.
Mark legt zijn hand in mijn rug en zo fietsen we samen verder.
'Ik zal niet tegen je praten om je niet af te leiden,' zegt Mark ernstig.
In alle stilte fietsen we door totdat we bij de Oude Weteringgracht zijn.
Mark is zo galant om mijn fiets in het schuurtje neer te zetten. Omdat alleen ik daar gebruik van maak, hebben we daar geen

licht. Wanneer Mark terugkomt, maakt hij daar een opmerking over. 'Dit nodigt inbrekers uit. Ik zou maar eens met de andere dames overleggen dat daar een buitenlamp moet komen.'
Van schaamte weet ik geen woord uit te brengen. Ik kan nog net een verontschuldiging mompelen voor de overlast die ik hem heb bezorgd.
Mark schudt zijn hoofd. 'Ik wacht wel totdat je boven bent,' zegt hij terwijl ik de sleutel in het slot draai.
Ik bedank hem voor de gezellige avond, en spontaan sla ik mijn armen om zijn nek, wat een flinke pijnreactie bij mijn rechterschouder teweegbrengt, en ik zoen hem op beide wangen. Ik wens hem welterusten en trek de deur achter mij dicht. Nadat ik het alarm heb ingeschakeld, zucht ik eens diep.

De volgende morgen heb ik een spierpijn van jewelste. Ik heb wel goed geslapen, maar dat kwam mede door de medicijnen die ik had ingenomen. Het liefst zou ik meteen terug in mijn bed gaan. Helaas gaat dat niet. Er staan vandaag veel cliënten op het programma. Dus ik slik weer braaf mijn pijnstillers en loop voorzichtig naar de keuken.
Yvonne is er al. Ze schrikt wanneer ze mij ziet. 'Wat heb jij uitgespookt? Je kijkt alsof je onder de tram terecht bent gekomen.'
'Bijna goed,' beantwoord ik haar vraag. Ik ga voorzichtig zitten en vertel ondertussen mijn belevenissen.
Yvonne, die weet dat ik nachtblind ben, is kwaad. 'Je speelt met je leven.'
'Kom, kom,' probeer ik alles wat te relativeren. 'Ik ben gelukkig goed thuisgekomen, maar ja, het was ook zo gezellig.'
'Zaterdag kom ik langs om de schade op te nemen en je achterlicht te maken.'
Ik vind alles best.
Hoe ik de ochtend ben doorgekomen, weet ik niet meer. Wel weet ik dat mijn schouder, ondanks de pijnstillers, steeds meer pijn gaat doen. In de middagpauze kan ik bijna niet meer op mijn benen staan.
Yvonne en Annet kijken mij bezorgd aan.
Annet staat ineens op en betast mijn schouder.

Vragend kijk ik haar aan. Ik probeer de pijn te verbijten, maar dat lukt niet erg.
'Gekneusd,' is haar commentaar. 'Jij gaat naar boven, en Yvonne doet een ontspannende massage bij je. Ik had een vrije middag, maar ik vang je cliënten wel op. Martine, hoe zit het morgen?'
Ik protesteer dat ik morgen wel weer aan de slag kan, maar Annet legt me het zwijgen op. 'Jij doet morgen niets. Die schouder moet eerst genezen.'
Ik sputter maar niet tegen, en samen met Yvonne loop ik naar boven. Nogmaals neem ik pijnstillers in, en daarna begint Yvonne mijn nekspieren los te maken. Voordat ik het besef, ben ik naar dromenland vertrokken.
Het is al avond wanneer ik wakker word. Mijn maag rammelt. Er branden een paar lampjes in de woonkamer. Het is al veel later dan ik dacht. Iedereen is al naar huis toe. Op mijn tafel ligt een briefje van Yvonne. Ze schrijft dat Linda op weg naar huis langs is geweest, en dat mijn avondeten in de magnetron staat. Als ik mij niet lekker voel of als de pijn erger wordt, moet ik beslist bellen. Ik glimlach om zo veel bezorgdheid van Yvonne en Linda. Vooral Linda is een moederkloek. Nieuwsgierig kijk ik in de magnetron. Als ik het niet dacht: het is weer zo'n gezonde maaltijd die Linda heeft klaargemaakt. Eén druk op de knop, en tien minuten later zit ik te smullen van zuurkool met worst. Na de afwas bel ik even met Linda om haar hartelijk te bedanken.
'Welnee, dat hoeft helemaal niet,' zegt ze. 'Wees maar niet ongerust, want morgen neemt Yvonne weer een maaltijd voor je mee. Je moet toch beter voor jezelf zorgen, hoor. Yvonne heeft in je koelkast en vriezer gekeken. Veel bijzonders lag daar niet in.'
Het is maar goed dat Linda mijn gezicht niet kan zien. Wat ze zegt, is wel waar: regelmatig maak ik er een potje van.
Na een poosje komt de pijn weer opzetten. Ik probeer wat afleiding te zoeken in een boek, maar ik zit mezelf te pijnigen. Ik neem toch weer – ook al is het tegen mijn principes – pijnstillers in. Na een halfuurtje gaan deze werken. Ongemerkt word ik doezelig. Ik duik mijn bed weer in en slaap heel de nacht goed door.
De volgende morgen voel ik mij al een stuk beter. Ik besluit toch naar beneden te gaan. Ik kan dan misschien niet masseren, maar

desnoods kan ik Martine helpen met het een en ander. Ze heeft nogal wat achterstallig archiefwerk, en met de boekhouding is ze ook wat achteropgeraakt. Zo maak ik mij toch wat verdienstelijk. Aan het eind van de ochtend is echter mijn batterij leeg, en word ik zonder pardon naar boven gestuurd.
'Naar bed en rusten,' is het commentaar van Annet.
Dit laat ik me geen twee keer zeggen. Ergens ben ik wel teleurgesteld dat Mark niets meer van zich heeft laten horen. Hij had toch op z'n minst een belletje kunnen plegen om te vragen hoe het met me ging.
De dagen erna voel ik me langzaam weer wat beter worden. Ik kan alleen nog niet hele dagen werken. Ik doe wat boodschappen voor onze praktijk en help Martine met de administratie. Maar langer dan een halve dag houd ik het niet vol. Op een middag wordt er, terwijl ik zit te bedenken of ik nu wel of niet zal gaan rusten, op mijn deur geklopt.
Ineens staat Mark in mijn huiskamer.
Het juicht vanbinnen, en ik ben blij hem weer te zien.
Hij heeft een prachtig kerststuk in zijn handen. Met een verlegen blik drukt hij het in mijn handen.
Verrukt kijk ik ernaar. 'Wacht, ik zet het op de salontafel neer en dan zal ik je bedanken.'
Wanneer ik op hem af loop, kijkt hij mij weer verlegen aan.
Ik sla mijn armen om zijn nek en zoen hem op beide wangen. Even hoop ik dat hij mij ook vastpakt. Helaas gebeurt dat niet. Ik besluit meteen koffie te gaan zetten, terwijl Mark op de bank plaatsneemt.
'Het spijt me dat ik niets meer van me heb laten horen,' begint hij.
Ik neem plaats in mijn rieten stoel en luister aandachtig. Er komt een gevoel van teleurstelling over mij heen, terwijl zijn verhaal vordert. 'Eén van je collega's heeft gebeld, niet die vriendin van die regisseur, maar...'
'Yvonne', vul ik aan.
'Ja, die was het.' Opgelucht kijkt Mark mij aan. 'Ze wilde graag weten wat er die avond precies was gebeurd en hoe je terechtgekomen was. Yvonne maakte zich nogal wat zorgen over je schouder.'

Ik bijt op mijn lip. Mark is niet uit zichzelf gekomen, maar hij voelde zich verplicht.
Mark gaat verder. 'Ik heb de situatie een beetje verkeerd ingeschat.'
Dat kun je wel zeggen, is mijn gedachte.
'Ik dacht dat het allemaal wel meeviel. Anders had ik je al eerder een bezoekje gebracht.'
Dat laatste geeft mij toch een beetje hoop. Ik krijg nog een compliment over de kerststukken die ik heb gemaakt. 'Ieder jaar maak ik die,' vertel ik enthousiast. 'Zowel voor onze praktijk als voor mijzelf. Een boom vind ik te bewerkelijk. Om toch iets van de kerstsfeer mee te nemen maak ik een aantal kerststukken.'
We drinken samen gezellig iets.
Voordat ik het weet, staat Mark op om afscheid te nemen.
Het is nu of nooit. 'Je hebt nog een etentje van me te goed.' Lachend kijk ik hem aan. Niet te dik erbovenop leggen, Else-Marie. Dat stoot alleen maar af.
Weer die verlegen blik in zijn ogen.
'Kunnen we geen afspraak maken?' Ik kijk hem vragend aan.
'Mag ik je daarover bellen?' Met een ontwapenende blik kijkt Mark mij aan. 'Mijn agenda heb ik thuis, en ja, mijn dienstrooster.'
Natuurlijk heb ik daar alle begrip voor. Maar iets in mij zegt dat er van dat etentje nooit meer iets zal komen. Met gemengde gevoelens blijf ik achter. Het is een schitterend kerststuk, moet ik toegeven. Maar met volle teugen ervan genieten doe ik niet.

'Was het gezellig met Mark?' Ondeugend kijkt Yvonne mij aan. Het is de volgende ochtend, en we zijn weer als gewoonlijk samen in de keuken.
Ik haal nonchalant mijn schouders op. 'Het ging wel,' probeer ik mij wat op de vlakte te houden.
Yvonne geeft het niet op. 'Hij is anders wel de hele middag gebleven. Wel wat lang voor een ziekenbezoekje, dacht ik zo.' Weer die olijke blik.
Ik krijg een kleur.
Nu schatert Yvonne het uit. 'Ik heb raak geschoten. Geef het maar toe, Else-Marie. Je vindt hem leuk volgens mij. Erg leuk zelfs, als ik het zo mag zeggen.'

Ik knik. 'Het komt overigens wel van één kant,' zeg ik er meteen achteraan.
Yvonne trekt verbaasd haar wenkbrauwen op. 'Hoe weet je dat nou?'
'Dat lijkt mij overduidelijk,' schamper ik. 'Mark was niet gekomen als jij hem niet had gebeld.'
'Dat weet je niet,' sputtert Yvonne tegen.
'Ik weet het wel. Nee hoor, geen sprake van.'
'Volgens mij,' gaat zij onverstoorbaar verder, 'is hij zo verlegen als wat.'
'Dat kan wel zijn, maar je voelt als man toch wel...'
Vertwijfeld kijk ik Yvonne aan.
Die haalt haar schouders op. 'Misschien moet jij het initiatief wel nemen.'
Ja, dat heb ik vaker gehoord, maar hier kan ik niets mee.
Martine heeft wel goed nieuws. 'Ze staat op nummer één, hoor.'
Een moment weet ik niet waar ze het over heeft. Dan begint het me te dagen. Lenny met haar tweede nummer-één-hit. Ik slaak een zucht van opluchting. Ik zou mijn belofte wel nakomen aan Bob, maar onder deze omstandigheden, dat gedoe met Annet, komt het mij heel goed uit dat ik daar onderuit kom. De volgende keer toch maar beter op mijn woorden letten, neem ik mij voor.

HOOFDSTUK 12

Er is iets aan de hand met Martine. Ik kan mijn vinger er niet op leggen, maar soms is ze met haar gedachten mijlen ver weg. Net alsof ze in een andere wereld is. Af en toe laat ze een steekje vallen, en wanneer ze denkt dat niemand het ziet, heeft ze een ongelukkige trek op haar gezicht.

Ik sta in tweestrijd. Zal ik het aan Annet en Yvonne vertellen of zal ik, zomaar langs mijn neus weg, aan Martine vragen wat er aan de hand is? In eerste instantie besluit ik niets te doen en te wachten totdat Martine naar mij toe komt. Na een tijdje merk ik dat ik dan lang kan wachten. Annet en Yvonne hebben nog niets door, maar dat zal zeker niet lang meer duren. Ik wacht rustig totdat zich een gelegenheid voordoet dat ik Martine alleen achter de balie tref. Dit moment komt eerder dan ik had verwacht. Vertrouwelijk leun ik over de balie heen, en ik begin zomaar een praatje.

Martine heeft niets door. Er ontwikkelt zich een gesprek over alledaagse dingen.

Dan kijk ik haar ernstig aan. 'Martine, volgens mij is er iets aan de hand. Klopt dat?'

Ze is overdonderd, en dat is nu precies mijn bedoeling. Ze wordt rood tot achter haar oren en stamelt dat er echt, maar dan ook echt, niets aan de hand is.

'Martine,' antwoord ik zachtjes en kijk haar verwijtend aan. De tranen springen haar in de ogen.

Ik doe alsof ik ze niet zie.

Martine pakt haar tas en haalt daar papieren zakdoekjes uit. Er hangt een stilte. Dan, alsof ze weet dat er geen ontkomen meer aan is, knikt Martine.

'Goed,' neem ik het heft in handen. 'Dan maken we nu een af-

spraak voor buiten kantoortijd. Schikt je dat? Dan kom je bij mij boven, en dan praten we verder.'
Martine knikt weer en pakt haar agenda. We spreken af dat ze morgen wat langer blijft. Dan kunnen we ongestoord met elkaar praten.
De volgende cliënt komt de wachtruimte binnen.
Martine heeft zichzelf weer onder controle.
Ik loop naar mijn kamer terug, peinzend wat er met haar aan de hand zou kunnen zijn. Ik zal toch tot morgen moeten wachten.

Wanneer Martine eenmaal boven is aangekomen, gaat ze gespannen op haar stoel zitten.
Ik probeer de spanning te breken door wat algemene opmerkingen. Dat lukt vrij aardig, en al snel merk ik dat Martine er wat meer ontspannen bij gaat zitten. Terwijl ik theewater opzet en mijn moeders servies uit de kast haal, blijf ik rustig over koetjes en kalfjes praten. Maar dan kan ik het moment niet langer uitstellen. Ik neem tegenover haar plaats aan tafel en kijk haar doordringend aan. 'Ik heb het gevoel dat je je bij ons niet meer thuis voelt. Heb ik gelijk?' vraag ik, terwijl ik de thee inschenk.
Martine kijkt me weer met een ongelukkige blik aan. Dan komt ze los. Het is iets wat al een tijdje speelt. Inderdaad heb ik gelijk.
Wanneer Martine vertelt dat ze al bij een paar andere praktijken heeft gesolliciteerd, schrik ik. Het is erger dan ik dacht.
Martine heeft geen aanmoediging nodig om haar verhaal te doen, en alles komt eruit. Dat ze zich niet gewaardeerd voelt, zeker niet door Annet, die haar af en toe als een voetveeg behandelt. Dat ze, naar haar mening, zwaar onderbetaald wordt. Dat ze steeds meer taken van Annet krijgt, wat de boekhouding betreft. 'Dat vind ik niet erg,' haast Martine zich te zeggen, en een blos kleurt haar wangen. 'Want dat maakt mijn werk ook wat interessanter, maar een blijk van waardering...' Hier houdt ze op. Wanneer Martine klaar is, neem ik het woord. Ik vertel haar dat ik van al die dingen niet op de hoogte ben. Ik vraag haar ook naar haar brutosalaris.
Uit haar hoofd somt zij het op.
Ik schrik, maar ook dat laat ik niet blijken. Als Martine inderdaad

al de taken verricht die zij zojuist heeft opgesomd, wordt ze behoorlijk onderbetaald. Ik schrijf het een en ander op.
Daar schrikt Martine van, maar ik stel haar gerust.
'Als je wilt dat er iets aan gedaan wordt, zal ik het toch ook met de anderen moeten bespreken.'
Onwillig geeft Martine toe.
Ik spreek met haar af dat ik de anderen op de hoogte zal brengen en dat we proberen er samen uit te komen. 'Nogmaals, Martine, ik wil je niet kwijt, en ik weet zeker dat Annet en Yvonne dat ook niet willen.'
Martine kijkt me dankbaar aan.
Ik schenk nog eens een kopje thee in. We besluiten dat ik op korte termijn een en ander probeer rond te krijgen en dat ik haar op de hoogte zal houden. Daarmee is het gespreksonderwerp afgesloten, maar we praten nog lekker verder.
De spanning is helemaal verdwenen bij Martine. Maar dan kijkt ze op haar horloge. Ze komt tot haar schrik tot de ontdekking dat de tijd voorbijgevlogen is. Ze heeft die avond nog een andere afspraak, en het wordt hoog tijd dat ze naar huis gaat.
Ik loop met haar naar beneden en laat haar glimlachend uit. 'Maak je maar niet ongerust. Het komt allemaal in orde,' verzeker ik haar nog eens. Dan sluit ik de deur achter haar.

De volgende ochtend maak ik er meteen werk van. Bij onze vakorganisatie vraag ik de taakomschrijvingen aan van een praktijkassistente en een secretaresse en de daarbij horende salariëring. Per fax worden deze documenten me toegezonden. Ik krijg ze persoonlijk van Martine overhandigd. Ik geef haar een vette knipoog. Vanavond zal ik ze eens rustig doornemen. Wanneer iedereen naar huis is, neem ik een duik in het personeelsdossier van Martine, en ik maak kopieën van een aantal stukken. Dan neem ik ruimschoots de tijd om alles door te nemen. De functie die Martine officieel vervult, mag dan wel praktijkassistente worden genoemd, maar de inhoud is er niet naar. Als ik haar takenlijst vergelijk, is zij meer een secretaresse, en dan wordt zij inderdaad onderbetaald. Willen wij Martine voor *Iris* behouden, dan zal er het een en ander moeten veranderen.

Annet en Yvonne kijken mij verbaasd aan wanneer ik over Martine begin.
'Ach, kom nou, ik vind het wel een beetje overdreven, hoor,' zegt Annet op neerbuigende toon.
Ik maak er verder geen woorden aan vuil, maar schuif wel de taakomschrijvingen onder hun neus.
Annet en Yvonne lezen deze aandachtig door.
'Doet zij dit allemaal in haar eentje?' vraagt Yvonne nog eens voor alle zekerheid. 'Ook wat dat gedeelte van de boekhouding betreft?'
Ik knik slechts.
Annet zet haar leesbril eens goed op haar neus.
Dan neemt Yvonne het woord. 'Als ik het zo bekijk, heb je inderdaad gelijk, Else-Marie. Martine wordt onderbetaald, en niet zo'n beetje ook. Ik vind dat we haar een salarisverhoging moeten geven. Annet, ben je het daar ook mee eens?'
Annet wil nog tegensputteren, maar ik ben haar net een slag voor. 'Ik zal het maar doen, Annet, want Martine is al bezig met solliciteren.'
Van die woorden schrikken ze wel. Ik besluit het verhaal een beetje aan te dikken. 'Sterker nog, ze heeft al een aantal sollicitatiegesprekken achter de rug, en ik kijk er niet vreemd van op als Martine vandaag of morgen haar ontslag indient. Dan is het leed niet meer te overzien.'
Yvonne valt mij bij. 'Houd erover op, zeg. Dan moeten wij sollicitatiegesprekken voeren, want een uitzendkracht kunnen we niet betalen. Martine heeft wel een opzegtermijn van twee maanden, maar die zijn zo voorbij. Ik ben het met het voorstel van Else-Marie eens. Wil jij het trouwens verder afhandelen?' Yvonne kijkt mij vragend aan.
Ik knik slechts, en ook Annet stemt toe.
We bespreken de verdere details van het salaris, en ik beloof dat ik hen beiden op de hoogte zal houden.
Annet wil al opstaan om naar huis te gaan, maar ik vertel haar dat ik nog niet klaar ben. Verrast kijkt ze mij aan, en ze gaat weer zitten.
'Ik wil het ook over mezelf hebben,' begin ik aan de tweede ronde.

Ik leg uit dat ik veel uren maak, veel meer dan dat ik daadwerkelijk uitbetaald krijg.
'Wil jij ook salarisverhoging?' De schrille stem van Annet klinkt door de keuken.
Ik schud mijn hoofd. 'Jullie weten allebei dat ik op zaterdag drie cliënten behandel. Met de administratieve afwerking daarvan en de voorbereidingen ben ik ook een uur bezig. In totaal is dat vier uur. Vergeet ook niet dat ik tweemaal in de week de praktijkruimten schoonmaak om de kosten van een schoonmaakster uit te sparen.'
'Je hebt weer gelijk,' zegt Yvonne.
Yvonne is voor het onderhoud. In de praktijk betekent dat dat als de wc verstopt zit, Yvonne dit opknapt, net als het vervangen van lampen en zo, of als de kraan lekt. Zo vaak komt dit overigens niet voor. Annet neemt een deel van de boekhouding voor haar rekening. Als je de uren van Annet en Yvonne optelt, komt het meeste toch nog voor mijn rekening.
'Wat wil je dan?' vraagt Annet met een wanhopige blik in haar ogen.
'Tijd voor tijd,' is mijn korte antwoord. 'Ik wil voortaan een vrije donderdag ter compensatie van die uren.'
Met dit voorstel kan zowel Yvonne als Annet leven, en het besluit wordt dan ook aangenomen. Vanaf volgende week kan ik genieten van een vrije donderdag.
Annet staat nu op. 'Dat is dan geregeld. En nu ga ik naar Bob toe.' Ze wenst ons een prettige avond en maakt dat ze wegkomt.
Yvonne en ik blijven nog even om een aantal dingen te bespreken, waaronder ook een blijk van waardering voor Martine.
Ik spreek met Yvonne af dat ik alles wat wij hebben besproken, op papier zal zetten, zodat ook Annet ervan op de hoogte is. Met een tevreden gevoel ga ik naar mijn appartement toe.
Tevreden is ook Martine, wanneer ik haar de volgende morgen ons voorstel aanbiedt. Zij is blij met de salarisverhoging die met terugwerkende kracht wordt doorgevoerd. 'Dank je wel, Else-Marie,' zegt ze uit de grond van haar hart.
'Jij blijft behouden voor *Iris*, en dat vinden we heel wat waard.' Ik vertel haar meteen van mijn vrije donderdag.

Martine kruipt na ons gesprek achter haar tekstverwerker om de cliënten die mij altijd op deze dag bezoeken, op de hoogte te stellen.
Nog steeds met dezelfde lach om mijn mond zet ik een tijdje later mijn handtekening onder de brieven.

HOOFDSTUK 13

Kerstmis nadert met rasse schreden. Het is enorm druk in de praktijk, dus veel tijd om over Mark na te denken heb ik niet. Mijn schouder is genezen, en ik draai weer volop mee. Ik zie tegen de kerstdagen op. Verleden jaar heb ik een dag bij Annet doorgebracht, en de andere dag bij Yvonne en Linda. Toen was Annet nog alleen. Dit jaar hebben ze mij niet gevraagd, en ik heb geen zin om mezelf uit te nodigen. Annet verkondigt dat ze de eerste kerstdag samen met Bob wil doorbrengen. Het ligt op het puntje van mijn tong te vragen hoe het dan met Anne en Lotte moet. Nog net op tijd slik ik die vraag in. Het zijn mijn zaken niet hoe Bob en zij deze dagen doorbrengen. Ik weet niet wat ik met die dagen aan moet. Een feestmaal voor mijzelf maken, daar heb ik geen zin in. Maar stamppot andijvie met uitgebakken spekjes is ook weer zoiets. Met een triest gevoel kijk ik naar de kaars in het kerststuk van Mark. Wat zou hij met Kerst doen? Vast en zeker diensten draaien.
Het vraagstuk wat ik nu met Kerst zal doen, wordt onverwacht opgelost. Anne belt me. Ze vertelt onomwonden dat ze dit jaar niet welkom zijn bij hun vader. 'Nu hebben Lotte en ik het volgende bedacht. Wanneer jij klaar bent met mijn behandeling, ga je gezellig met mij mee naar Amsterdam en blijf je bij me slapen. Op eerste kerstdag blijf je bij mij. Tweede kerstdag gaan we dan samen naar Lotte. Daar ontmoet je ook onze moeder.'
Van ontroering springen de tranen in mijn ogen. 'Is het echt niet te veel,' vraag ik toch enigszins bezorgd.
'Welnee, we vinden het enig als je komt. We vinden het ook leuk dat je dan kunt kennismaken met onze moeder. Nee hoor, je bent van harte welkom. Of had je al iets?'
Met een gevoel van dankbaarheid in mijn hart dat ik de dagen niet alleen hoef door te brengen, laat ik mijn gedachten de vrije loop.

'Hè, mam, waarom hebben wij geen kerstboom zoals alle andere kinderen van mijn klas?' Dat laatste is niet helemaal waar. Er zijn meer kinderen die geen kerstboom in huis hebben. 'Ik vind het zo gezellig,' zeur ik verder. Mijn moeder kijkt me lachend aan. 'Lieverd, je weet dat ik gruw van al die dennennaalden. Maar wees maar niet ongerust. Ik versier het huis ook. Trouwens, het is zo zielig voor zo'n boom. Hij staat daar gezellig tussen zijn ouders en broertjes en zusjes, en dan wordt hij op een dag weggehaald, met wortel en al. Soms wordt hij zelfs zomaar omgehakt. Dan staat hij daar zonder voeten. Dat zal beslist pijn doen.' Ik moet er niet aan denken dat iemand mijn voeten afhakt. Nee, laat die kerstboom dan maar in het bos staan. Maar hoe kun je nu een huis versieren zonder boom? Het is alsof mijn moeder mijn gedachten leest. Ze gaat verder: 'Wacht maar rustig af. Straks mag je met me mee, en dan zul je het wel zien.' Ik kan bijna niet wachten totdat het zover is dat mijn moeder haar jas aantrekt. We gaan samen naar buiten. In de tuin hebben we wel een grote kerstboom staan. Mijn moeder snijdt er een paar takken van af. Een vriendin van mijn moeder heeft een grote hulstboom. Daar lopen we naartoe, en ook daar snijdt mijn moeder een aantal takken af. De buurman heeft een behoorlijke skimmiastruik, en ook daar mag mijn moeder plukken wat ze nodig heeft. Kaarsen heeft mijn moeder al in huis gehaald. Mijn moeder is altijd met bloemschikken bezig. Ze maakt de mooiste voorjaarsboeketten, en onze tuin is een lust voor het oog. Heel het jaar door. Dit is echter de eerste keer dat ze met Kerst iets maakt. Ik mag haar daarbij helpen. Zo krijg ik de beginselen van het bloemschikken onder de knie. Alles met natuurlijke materialen. De dennenboom in de tuin wordt later versierd voor de vogeltjes. Mijn moeder en ik maken lange slingers van pinda's die erin worden gehangen. Ook maakt mijn moeder van zonnebloempitten en nootjes vetbollen, en die krijgen ook een plaatsje. Een heerlijke traktatie voor de gevederde vrienden en een lust voor het oog. Mijn moeder en ik zitten later aan de eetkamertafel stilletjes naar buiten te kijken. De vogels doen zich te goed aan al het lekkers.

Ik verheug me er nu al op. Ik besluit zowel voor Anne als voor Lotte een mooi kerststuk te maken. Ook voor Lies maak ik er een. Een hele zaterdagmiddag neemt het maken ervan in beslag. Ik probeer zo veel mogelijk materiaal uit de natuur te halen. Het is veel leuker zelf groen te zoeken en te plukken. Het scheelt trouwens ook een stuk in mijn portemonnee. In deze tijd weten de bloemisten wel raad met hun prijzen. Ook van het maken van de bloemstukken geniet ik enorm. Er gaat toch een soort rust van uit, zo lekker met je handen bezig te zijn. Een mooie cd met kerstmuziek op de achtergrond, en de middag vliegt voorbij. Met trots bekijk ik het eindresultaat. Mijn stukken mogen er best zijn. Ze doen beslist niet onder voor die van de bloemist. Het mes snijdt zo aan twee kanten. Het is een fijne, ontspannende bezigheid, en je komt niet met lege handen. Een fles wijn is ook zo afgezaagd.
De kerststukken worden alle drie in dankbaarheid aanvaard. Weer verbaas ik me erover dat een simpel bloemstuk bij een mens zo veel kan teweegbrengen. Vooral Lies is zichtbaar geroerd wanneer ik haar het stuk overhandig. Ik krijg het er zelf ook moeilijk mee. Zoals gewoonlijk zag ik tegen deze ontmoeting op. Hoe je het ook wendt of keert, uiteindelijk ben ik wel een collega van Annet. Het woord 'vriendin' durf ik na alles wat er gebeurd is, eigenlijk niet meer in mijn mond te nemen. Het moet bij Lies ook wel tegenstrijdige gevoelens oproepen. Ik kan mij dat goed voorstellen, en daarom benader ik haar voorzichtig. Dat blijkt overbodig te zijn. Lies is een stille vrouw, die niet veel zegt. Ze is inderdaad een heel andere persoonlijkheid dan Annet. Ik heb nu alle gelegenheid om haar rustig te observeren. In het begin was ze wat gereserveerd, bijna afstandelijk. Dat vond ik heel begrijpelijk, en ik nam het haar ook niet kwalijk. Nadat ze mij ook eens rustig had opgenomen, was het ijs gebroken.
De dagen vliegen voorbij. Natuurlijk nodig ik de dames uit om bij mij Oud en Nieuw te vieren. Helaas hebben ze alle drie al plannen, zodat ik deze dagen toch alleen doorbreng. Zo erg is dat nu ook weer niet. Ik heb nog steeds een stapel boeken die ik graag wil lezen, en daar heb ik nu alle tijd voor. Zou dit jaar ook voor mij misschien een nieuwe liefde brengen?

HOOFDSTUK 14

Opgewonden komt Marianne de behandelruimte binnen. Haar gezicht is helemaal rood, en dat komt niet van de kou.
Op dit moment wordt Nederland geteisterd door een enorm koufront. Het wordt een koude winter. Het is januari, en mijn lichaam verlangt naar het voorjaar. Helaas houdt Koning Winter geen rekening met mijn verlangens.
Handenwrijvend neemt Marianne plaats, en ik kijk haar verwachtingsvol aan. 'De gouden tip,' zegt ze lachend. Ze buigt zich langzaam voorover en vervolgt op geheimzinnige toon: 'Ik weet waar Mark aanstaande woensdag te vinden is. Jij zorgt ervoor dat jij daar ook bent, en pats boem, de vonk slaat over.' Triomfantelijk kijkt Marianne mij aan. Terwijl ze zich uitkleedt, vertelt ze opgewonden verder. 'In de bibliotheek wordt een lezing gehouden over een of andere Egyptische farao. Mark had interesse om te gaan, maar had weer eens avonddienst. Hij beklaagde zich erover dat hij op deze manier nooit eens een lezing kon bijwonen. Toen heb ik spontaan – Marianne legt bijzonder veel nadruk op het woordje 'spontaan' – aangeboden van dienst te ruilen. Die kans heeft hij met beide handen aangenomen. Hij heeft meteen een plaats gereserveerd. Dus als ik jou was, Else-Marie Verbeke, zou ik ook maar gauw reserveren. Of heb je dat al gedaan?' Marianne steekt haar hoofd om het scherm heen.
Ik schud mijn hoofd terwijl ik overeind kom. 'Nee, ik heb die lezing wel zien staan in het blad. Maar ja, ik had er niet echt zin in.'
Nu wordt alles anders, en ik kan – eerlijk gezegd – niet wachten totdat de behandeling voorbij is. Ook op zaterdag is de bibliotheek open, en misschien is de lezing wel volgeboekt.
Marianne wenst mij veel succes.

Met een stralende blik kijk ik haar aan. Wanneer ik de deur achter haar heb dichtgedaan – ze is de laatste voor vandaag –, weet ik niet hoe snel ik het telefoonboek uit de bureaulade van Martine tevoorschijn moet halen. Met trillende handen zoek ik het nummer op. Van de zenuwen zit ik weer eens in de verkeerde hoek te zoeken. Eindelijk, daar heb ik het. Als ze nu nog maar open zijn. Het geluk is met mij deze keer. Er wordt meteen opgenomen, en er blijken ook nog plaatsen vrij te zijn. Met een triomfantelijke lach op mijn gezicht leg ik even later neer. Op naar de lezing over Toetanchamon. Wat duren die dagen eindeloos. Ik tel de nachten af, net als vroeger met mijn verjaardag. Martine heb ik opdracht gegeven die woensdagmiddag na vieren geen cliënten meer te plannen. Dan kan ik me in alle rust voorbereiden op de avond van mijn leven. Het is nu of nooit.
Ik ben al vroeg in de bibliotheek en kijk rustig rond of Mark er misschien al is. Helaas zie ik hem nog niet. Ik neem een kopje thee en kijk ondertussen ongeduldig wanneer hij nu binnenstapt. Het wordt later en later, en er komen steeds meer mensen. Behalve Mark. Ik begin wat ongeduldig te worden. Als je naar een lezing gaat, zorg je er toch voor dat je op tijd bent? Maar hoe ik ook kijk, ik kan hem niet ontdekken. Zo klein is hij nu toch ook niet dat ik hem over het hoofd heb gezien. Met zijn stoere uiterlijk valt hij overal op. Dan loopt een medewerkster van de bibliotheek naar voren en neemt de microfoon in haar handen. De lezing begint, maar nog steeds zie ik geen Mark. Het is een boeiende lezing, dat zal ik niet ontkennen. Maar ik ben blij wanneer het pauze is. Dan heb ik nog steeds een kans om Mark tussen de mensen te ontdekken. Het is ook best mogelijk dat hij wat verlaat is, en is binnengekomen nadat de lezing al was begonnen. Maar hoe ik ook kijk, ik zie hem niet. Dan moet ik het onvermijdelijke onder ogen zien. Mark is er niet. Met een teleurgesteld gevoel neem ik weer op mijn stoel plaats. De pauze is voorbij, en het tweede gedeelte begint. Maar mijn gedachten zijn elders. Na afloop sta ik eenzaam bij de bushalte te wachten. Ik had zo gehoopt... Dit was immers mijn laatste kans. In de bus staar ik maar wat voor mij uit. Thuisgekomen kruip ik meteen mijn bed in. Het duurt lang voordat ik in slaap val.

Die zaterdag komt Marianne met een schuldbewuste blik mijn praktijkruimte binnen.
Mijn gezicht spreekt boekdelen.
Dat van haar overigens ook. Ze vertelt wat er die donderdagmiddag gebeurd is. 'Ik kom het wijkbureau binnen en vraag meteen hoe de lezing geweest is. Weet je wat die stommerik zegt?'
'Dat kan ik wel invullen.' Met een trieste glimlach kijk ik haar aan. 'Hij is niet geweest.'
Marianne knikt. 'De reden die meneer daarvoor opgaf, deed mij zowat steigeren.'
Weer kan ik een glimlach niet onderdrukken. Zoals Marianne het vertelt, zie ik het al helemaal voor me.
'Meneer had een goed boek en was de tijd vergeten. Hij was daar zo in verdiept dat hij het, toen hij op een bepaald moment op de klok keek, te laat vond om zich te haasten. Ik had hem wel wat kunnen doen.'
Ik had alles verwacht, maar dit toch niet. Verdiept in een boek. Wel een goed excuus om een lezing aan je voorbij te laten gaan.
Marianne vertelt opgewonden verder. 'Ik ontplofte bijna. Dat zul je wel begrijpen. Dat zag Mark ook wel aan me. Ik doe speciaal voor hem een dienst, en dan gaat hij niet.'
Mistroostig kijk ik Marianne aan, terwijl ik mijn hand op die van haar leg. 'Je hebt je best gedaan, maar het zit er gewoon niet in. Kom op, ik ga je behandelen. Jij kunt er ook niets aan doen. Ik weet nu alles over het leven en sterven van Toetanchamon. Dus als je nog eens geschiedenis gaat studeren, en je neemt Egypte als hoofdvak, klop gerust bij mij aan. Ik help je zo op weg.' Ik probeer mijn gedachten bij de behandeling te houden. Daar heeft Marianne recht op. Maar ik kan er niets aan doen dat mijn gedachten ongewild afdwalen. Ik heb het niet eens door, maar langzaam druppelen er een paar tranen op de blote huid van Marianne.
Zij draait zich om en kijkt mij verontrust aan.
Verschrikt kijk ik haar aan. Dan merk ik dat mijn wangen nat zijn. Ik mompel een verontschuldiging.
Maar Marianne zit al op de behandeltafel. Ze trekt mij naar zich toe, en ik neem plaats naast haar. 'Je geeft wel erg veel om hem,' zegt ze terwijl ze een arm om mij heen slaat.

'Het is een onbeantwoorde liefde,' snotter ik.
'Ik zou jullie graag bij elkaar willen brengen, maar ik weet niet meer hoe het nu verder moet.'
'Doe maar geen moeite meer,' geef ik Marianne als antwoord. 'Het mag gewoon niet zo zijn, en dat zal ik moeten accepteren.'

Toen Yvonne, Annet en ik aan *Iris* begonnen, hebben we afgesproken dat we, als de zaken goed zouden gaan, en we uitbreiding zouden krijgen, ieder jaar een personeelsuitje zouden organiseren. Het eerste jaar was Yvonne aan de beurt, verleden jaar ik, en nu mag Annet het doen. Ook hebben we afgesproken dat pas op het allerlaatst wordt bekendgemaakt wat er precies gebeurt. Yvonne, Martine en ik fantaseren er lustig op los wat Annet voor ons en onze partners in petto heeft. Het is gebruikelijk dat we dit zo tegen het eind van januari laten plaatsvinden. December met al zijn feestdagen is dan voorbij, en aangezien er in januari toch niets bijzonders op de agenda staat, vonden we dit een leuke maand.
Op een middag is het zover. Tijdens de lunch deelt Annet de datum mee. Het valt op een woensdagavond.
Ik val van verbazing nog net niet van mijn stoel wanneer Annet met haar voorstel komt. We gaan bowlen en daarna steengrillen. Bob is er ook bij, en natuurlijk is Linda ook van harte welkom.
Dan schuift Martine wat ongemakkelijk op haar stoel. 'Mag ik ook iemand meenemen?' vraagt ze verlegen terwijl ze ieder van ons aankijkt.
'Natuurlijk,' antwoord ik voor ons allemaal.
Martine wordt rood tot achter haar oren en vertelt dat ze een vriend heeft. 'Ik vind het leuk als jullie ook met hem kennismaken. Hij heet Jurgen.' Martine haalt opgelucht adem.
'Geen probleem,' lacht Yvonne. 'We zijn erg nieuwsgierig naar hem. Trouwens, dat is ook gezelliger voor Bob, want anders voelt hij zich misschien wel behoorlijk eenzaam in het gezelschap van al die vrouwen.'
Ik ben erg blij voor Martine en verheug mij net als de anderen op de kennismaking met Jurgen. Alleen heb ik er nu een probleem bij. We zijn met een oneven aantal. Voor mij dringt de vraag zich op: wie kan ik meenemen? Niemand eigenlijk. Anne en Lotte hoef ik

niet te vragen. Ik word goed op de hoogte gehouden van alle wel en wee in de familieverhoudingen. De verstandhouding met Annet is tot een dieptepunt gezonken doordat Anne en Lotte allebei duidelijk de kant van hun moeder hebben gekozen, alle goede bedoelingen van Annet ten spijt. Het is vragen om moeilijkheden als ik Anne of Lotte zou meenemen. Bob zou zich dan ook niet op zijn gemak voelen. Nee, dat wordt dus niets. Ik heb ook aan Marianne gedacht. Die heeft zo haar best voor mij gedaan, maar zij valt ook af. Het is nu eenmaal niet toegestaan privécontacten met cliënten aan te gaan. Dat is een ongeschreven regel binnen *Iris*, en daar houd ik mij aan. Zo wordt het plezier van het uitje wel steeds minder. Ook dat bowlen zit mij dwars. Ik vind het niets voor Annet. Hoe langer ik erover nadenk, hoe meer mij het gevoel bekruipt dat er opzet in het spel is. Dat Annet bewust voor het bowlen heeft gekozen om mij dwars te zitten. Ze weet maar al te goed dat bowlen niet zo best is voor mijn arm. Nog steeds heb ik er aan het eind van mijn werkweek behoorlijk last van. Maar ze hebben bij het bowlen ook aanmoedigers nodig, en die rol is voor mij. Ik raak er steeds meer van overtuigd dat alles een vooropgezet plan is. Ik zou willen dat ik eronderuit kon komen.
Het loopt precies zoals ik had voorspeld. Jurgen is ontzettend verlegen en durft bijna geen woord uit te brengen. Gelukkig is Bob er. Met zijn grapjes en natuurlijke charme stelt hij Jurgen op zijn gemak. Misschien verbeeld ik het me, maar iedere keer wanneer Bob mijn kant op wil komen, heeft Annet wel een of andere smoes om hem bij haar te houden. Omdat we nu met twee personen meer zijn dan verleden jaar, heeft Annet twee banen gereserveerd. Ik laat me niet kennen en probeer toch een paar keer mee te doen.
'Kijk jij een beetje uit?' hoor ik Yvonne op ongeruste toon zeggen. Heldhaftig antwoord ik dat dit juist goed is voor mijn bovenarmspieren.
Ze schudt haar hoofd en beantwoordt mijn opmerking: 'Als ik jou was, zou ik toch maar uitkijken. Voordat je het weet, heb je er weer last van.'
Ik ga er verder niet op in. Na een tijdje moet ik Yvonne wel gelijk geven en stop ik ermee. Ik loop eens naar de volgende baan, waar Annet, Bob, Martine en Jurgen aan het spelen zijn. Met een glas

frisdrank in mijn handen volg ik hun verrichtingen. Dat geeft mij mooi de gelegenheid om wat bij te praten met Bob. Tot meer dan wat algemeenheden over zijn werk en zo komt het niet. Er komt een triest gevoel over me, dat de rest van de avond niet meer weggaat. Wat kan een uur toch lang duren. Ik ben doodmoe en wil het liefst naar huis toe. Met een beklemd gevoel schuif ik aan tafel. Het blijkt dat Yvonne en Linda het ook in hun privéleven de afgelopen tijd erg druk hebben gehad. Deze avond is bij uitstek de gelegenheid om eens ongestoord tijd voor elkaar te nemen. Annet neemt Bob voor haar rekening, en in stilte geniet ik van het geluk van Martine. Ze kijkt zo stralend naar haar Jurgen dat ze alles om haar heen vergeten lijkt te zijn. Ik laat mijn gedachten de vrije loop. Ik word met mijn neus op de feiten gedrukt, of ik nu wil of niet. Zolang ik geen relatie heb of zolang Annet niet met Lotte of Anne door één deur kan, zal dit het toekomstbeeld zijn. Want of Jurgen nu de ware voor Martine is of niet, op een gegeven moment zal ook zij een vaste relatie krijgen. Misschien zit zij volgend jaar wel hier met Harrie of Kees. Wie zal het zeggen? Het is alsof de eenzaamheid als een muur op mij valt. Zo sleept de avond zich voort. Tegen tienen houd ik het niet meer. Ik mompel een excuus en loop naar de bar. Daarachter staat een jongen, en ik vraag hem of hij voor mij een taxi wil bellen. Hij duikt meteen achter de toog en haalt een telefoonboek tevoorschijn. Ik bedank hem hartelijk en loop terug naar de anderen. Op luchtige toon vertel ik dat ze vooral moeten doorgaan, maar toch op de tijd moeten letten.
'Ik kan morgen blijven liggen,' zeg ik. 'Jullie moeten weer aan het werk.' Wanneer Bob verbaasd vraagt waarom ik er nu al vandoor ga, kijk ik hem verontschuldigend aan. 'Ik voel een enorme hoofdpijn opkomen, en het is nogal warm hier. Ik heb een taxi besteld.' Bob kijkt mij onderzoekend aan. Hij zegt nog dat een taxi helemaal niet nodig was en dat hij mij best thuis had willen brengen. Ik wens iedereen nog een prettige avond en maak dat ik buiten kom. Het is een heldere avond. Het vriest, en de lucht is bezaaid met sterren. Door het prachtige uitzicht vergeet ik bijna dat ik in de stad ben, en dat het koud is. Toch ril ik in mijn jas en wrijf in mijn handen. Opgelucht zie ik dat om de hoek de taxi verschijnt. Nog even, en dan ben ik thuis. Wanneer ik uitstap aan de overkant

van de straat, kijk ik naar mijn appartement. De lichten zijn al aan. Ik vond het altijd vervelend in een donker huis thuis te komen. Dat heeft Yvonne geregeld met tijdschakelaars en zo. Met een warm gevoel denk ik aan Yvonne. Zij is zo handig op het gebied van elektra en dat soort dingen. Ik hoef eigenlijk maar met mijn vingers te knippen, en ze staat klaar om me te helpen.
Eenmaal boven aangekomen laat ik me op de bank ploffen. Het duurt lang voordat ik in mijn bed kruip. Wanneer ik eindelijk lig, komt alles naar boven, en als vanzelf komen de tranen. Ik huil mezelf in slaap, opgerold in de foetushouding.

Ik zit op het tuinbankje met mijn benen te wiebelen. Naast mij zit mijn moeder boontjes te doppen. Ik kijk haar ernstig aan, en dan vraag ik iets wat mij al een tijdje bezighoudt. 'Mams, waarom willen de meisjes van school niet met mij spelen?' Mijn moeder stopt met haar werk en trekt mij naar zich toe. Ze strijkt liefdevol over mijn bol. 'Ik weet het niet,' antwoordt ze. 'Je bent een heel bijzonder meisje voor je vader en mij. Dat hebben de andere kinderen niet door. Ik denk dat ze daarom niet met je willen spelen. Maar voor je vader en mij ben je uniek. We zijn altijd heel blij met jou geweest. Je vader en ik hebben altijd gehoopt dat we nog meer kinderen zouden krijgen. Helaas is het bij jou gebleven. Maar jij bent zo uniek, Else-Marie. Zoals jij is er maar één op deze wereld. Jij bent heel bijzonder. Geloof mij maar, mijn meisje. Op een dag ontmoet je iemand die jou net zo bijzonder vindt als wij dat doen.' Ik steek mijn duim in mijn mond en leun nog een tijdje lekker tegen mijn moeder aan. Ik volg de verrichtingen van een vlinder die in de tuin rondvliegt. Net zolang totdat hij over de schutting heen dartelt en bij de buren een kijkje neemt.

HOOFDSTUK 15

Het is 14 februari. Valentijnsdag. De dag om een kaart aan je stille liefde te sturen, met alleen je initialen erop. Ik heb even met de gedachte gespeeld Mark een kaartje te sturen, maar ik heb het snel uit mijn hoofd gezet. Wat zal hij wel niet van mij denken? Ik zucht. Yvonne heeft mij in vertrouwen genomen wat zij voor Linda heeft bedacht. Een weekendje samen weg, zonder de kinderen. De ouders van Yvonne komen oppassen. Yvonne heeft op een waddeneiland een hotelletje geboekt, en zo zullen zij samen Valentijnsdag vieren.
Ik denk terug aan mijn huwelijk met Bram. Die was niet zo romantisch ingesteld. Ik ben weer bij het begin. Zou Mark mij misschien... Meteen verwerp ik de gedachte. Als Mark mij inderdaad leuk zou vinden, had hij dat toch wel eerder laten merken? Eigenlijk moet ik proberen Mark uit mijn gedachten te bannen. Op de meest onverwachte momenten dringt hij mijn wereld binnen. Soms fantaseer ik er zelfs over hoe het zou zijn als we een relatie zouden hebben. Tegelijkertijd besef ik dat ik stomweg tot over mijn oren verliefd op hem ben. Maar het is wel eenrichtingsverkeer. En dan is er altijd Marion van der Laan nog. Haar gezicht verschijnt steeds vaker op mijn netvlies. Dan denk ik: een moordenares die verliefd is op haar wijkagent. Als ik er een boek over zou schrijven, zou niemand het geloven. Maar het is wel de bizarre werkelijkheid.

Dan gebeurt er van alles tegelijk. De bel gaat, en ik loop automatisch naar de deur. Wanneer ik die wil openen, stormt Martine binnen.
'Goedemorgen, Else-Marie,' hijgt ze met een vuurrode blos op haar wangen van de kou en de wind. Ze struikelt zowat de gang

in. 'Pak eens aan, als je wilt.' In haar armen houdt ze een rieten mand. Zo te zien komt die regelrecht van de bloemist. Hij is versierd met rode rozen en strikjes, en om de mand zit een groot eveneens rood lint. Een echt Valentijnsboeket.
Ik pak de mand van haar aan en weet even niet wat ik ermee aan moet. Terwijl Martine de voordeur achter zich sluit, neem ik de mand mee naar de keuken. Daar zet ik hem op tafel. Aan het plastic folie zit een envelop. Ik kijk er niet naar om. Dit boeket is vast en zeker voor Annet.
Martine heeft haar jas uitgetrokken en haar tas achter de balie neergezet. Weer hoor ik een sleutel in het slot.
Yvonne en Annet komen samen binnen.
'Nou, nou,' reageert Annet verbaasd wanneer ze de mand op tafel ziet staan. 'Die is er al vroeg bij. Voor wie mag deze wel zijn?'
'Voor jou natuurlijk,' zeg ik lachend, terwijl ik voor de meiden koffie en thee inschenk.
Martine komt de keuken binnen en heeft nog net mijn laatste woorden gehoord. 'Nee, nee,' zegt ze gehaast. 'Buiten kwam ik een bloemist tegen, en die vroeg aan mij of Else-Marie Verbeke hier woonde. Dus ik heb de mand voor je aangepakt. Het is een loodzwaar ding, maar wel schitterend opgemaakt.'
Verrast kijk ik Martine aan. Deze prachtige mand is voor mij? Tranen van ontroering springen in mijn ogen. 'Dat hadden jullie niet hoeven doen, hoor!' Met moeite probeer ik mijn stem onder controle te houden. 'Ik vind het hartstikke lief dat jullie daaraan hebben gedacht.' Nog steeds verrukt sta ik naar de mand te kijken.
'Else-Marie,' antwoordt Annet dan op voorzichtige toon, 'ik weet van niets. Dit komt niet bij mij vandaan.'
Vragend kijk ik Yvonne aan, die ook haar schouders ophaalt.
'Dat betekent dus...' probeer ik uit mijn woorden te komen.
Annet is weer helemaal de zakenvrouw. 'Open dat ding nu maar. Er zit toch een kaart bij?'
Van verwarring weet ik even niet wat ik moet doen.
Martine neemt het heft in handen. Ze loopt naar de keukenla en haalt er een schaar uit. Heel voorzichtig knipt ze het plastic folie weg en haalt ze de envelop eruit. Zwijgend, maar met een lach om haar mond geeft ze die aan mij.

Inderdaad, mijn naam staat erop. Dan is het alsof ik vleugels krijg. Ik scheur de envelop open en haal er een Valentijnskaart uit. Mijn ogen vliegen over de regels en ik tover een brede glimlach op mijn gezicht.
'Lees nou voor,' vraagt Annet ongeduldig.
'Laat haar nou even,' adviseert Yvonne.
Ik krijg een kleur, net zo rood als de rozen die in de mand verwerkt zijn. Met stralende ogen kijk ik Annet, Yvonne en Martine aan. Drie verwachtingsvolle blikken zijn op mij gericht. Dan begin ik zachtjes voor te lezen.

Lieve Else-Marie,

Speciaal voor jou dit Valentijnsgedicht,
ik durf het niet zo goed te zeggen,
zo midden in je gezicht.
Ik durf het ook niet zo goed uit te leggen.
Wat ik alleen maar zeggen wou,
met heel mijn hart houd ik van jou.
Wil je dus ook mijn Valentijn zijn?

M. van der K.

Weer blijft het een tijdje stil.
'Mag ik vragen wie M. van der K. is?' vraagt Annet nieuwsgierig.
Ik wil antwoord geven, maar Yvonne is me net voor. 'Dat is onze wijkagent. Je weet wel, die met dat onderzoek bezig was na de verdwijning van Marion van der Laan.'
Annet knikt begrijpend. 'O ja, nu herinner ik mij hem weer.'
Ik sta als verdoofd alles van een afstandje te bekijken.
Martine slaakt wederom een vreugdekreet, en zelfs Annet barst spontaan in lachen uit.
Ik straal en straal. De eerste keer in mijn leven dat ik een Valentijnsboeket krijg. Van verrukking blijf ik er maar naar kijken met de kaart in mijn hand.
Martine pakt de mand op en neemt deze mee naar de balie. 'Dan kan ik er de hele dag van genieten,' is haar antwoord.

Ik laat haar maar begaan. In mijn praktijkruimte is er toch geen plaats voor. Vanavond neem ik de mand wel mee naar boven. In gedachten heb ik er al een mooi plekje voor.
'Je moet die Mark wel bedanken, hoor,' adviseert Annet op moederlijke toon.
'Natuurlijk,' stamel ik. Alleen heb ik geen idee hoe ik dat moet aanpakken. Dat is van later zorg.
Door dit onverwachte begin van deze morgen is het al later dan we denken. Voordat we het weten, staan zo meteen de eerste cliënten op de stoep. Maar het is niet eens tien uur, en ik hang al aan de lijn bij het politiebureau. Ik krijg Marianne aan de lijn, en ik vraag of Mark er ook is. Dan pas dringt het tot mij door dat hij weleens avond- of middagdienst heeft.
Marianne is een en al behulpzaamheid. 'Mark is ziek thuis,' vertelt ze. 'Het is niets ernstigs, hoor. Hij is al weer aan de beterende hand. Een griepje. Ik verwacht dat hij een dezer dagen wel weer aan het werk zal gaan. Maar heb je hem dringend nodig? Want dan geef ik je zijn adres wel. Dat is een kleine moeite.'
Het adres van Mark zit natuurlijk in zijn dossier, maar omdat hij nooit meer een vervolgafspraak heeft gemaakt, heeft Martine zijn gegevens in het archief opgeborgen. 'Als het niet te veel moeite is...' vraag ik aarzelend.
'Welnee,' stelt Marianne mij gerust, en op de achtergrond hoor ik haar in een lade rommelen. 'Hier heb ik het al... Margrietplein 8. Wil je misschien ook zijn telefoonnummer?'
Daar moet ik even over nadenken. 'Nee hoor, zijn adres is voldoende. Dank je wel, Marianne. Ik fiets er straks wel even heen. Bedankt dat je me hebt geholpen.'
'Geen dank. Graag gedaan.'
We beëindigen het gesprek. Even later is mijn volgende cliënt aan de beurt. Meneer Veenstra is een al wat oudere heer met wie ik het prima kan vinden. Hij zit vol met humor, en ik kijk altijd uit naar zijn bezoekjes. Hij weet mij als geen ander op te vrolijken en voelt mijn stemmingen altijd haarfijn aan, ondanks het feit dat hijzelf veel last heeft van reumatische klachten. We lachen heel wat af tijdens zijn consult, maar een serieus gesprek gaan we ook niet uit de weg.

Ook vanmorgen komt hij met een stralende lach binnen. 'Zeg, Else-Marie, hangt er iets van liefde in de lucht?' vraagt hij, terwijl hij zich uitkleedt en op de behandeltafel plaatsneemt.
Ik help hem een handje. Van schrik kan ik geen woord uitbrengen. Is alles dan zo duidelijk van mijn gezicht te lezen? Ik probeer me een beetje van de domme te houden, ook al weet ik dat dit bij meneer Veenstra vergeefse moeite is. 'Hoe bedoelt u?' vraag ik zo onschuldig mogelijk.
Meneer Veenstra draait zich om en kijkt mij met zijn vrolijke pretoogjes aan. 'Bij Martine op de balie stond zo'n mooie mand dat ik naar de reden heb gevraagd. Ze had het over een of andere Valentijn, en zei dat deze rozen voor jou bestemd waren. Van een stille aanbidder...' zegt hij er ondeugend achteraan.
Ik bloos, wat meneer Veenstra niet ontgaat.
'Zie je nu wel. Ik heb weer gelijk. Vertel eens, weet je wie het is?'
Ik knik slechts.
Meneer Veenstra, heer die hij is, vraagt niet verder. Hij legt zijn hoofd weer op zijn handen en vraagt verder naar de betekenis van Valentijn. 'Het mag ouderwets klinken, maar ik weet echt niet wat dat inhoudt.'
'Ik wil het u wel vertellen, hoor...' stel ik voor terwijl ik met mijn behandeling begin. 'Er zijn verschillende versies in omloop. De bekendste versie is dat er in de derde eeuw na Christus een priester leefde in Rome. Hij verzorgde bejaarden, zieken en armen, gaf mensen wijze raad en zegende christelijke huwelijken in. Dat laatste was echter een strafbaar feit. Toen hij de blinde pleegdochter van Asterius, de stadhouder van Rome, genas, bekeerde de stadhouder zich tot het christendom en liet hij alle gevangen christenen vrij. Dit was echter de druppel die de emmer deed overlopen voor keizer Claudius II, en hij liet Valentinus op 14 februari onthoofden. Later werd de priester heilig verklaard, en 14 februari werd een feestdag. Op deze dag konden huwbare jongens en meisjes hun geliefden ongestraft verrassen met anonieme cadeautjes, brieven en gedichten. Daar zal het verhaal ook wel vandaan komen dat je dus alleen je initialen op een kaart of onder een brief of gedicht zet. Want als je erg in tel bent, tien kaarten krijgt en niet weet wie de afzender is...' besluit ik lachend mijn verhaal. 'Het is

alleen zo commercieel geworden, maar dat hebben we te danken aan de Amerikanen. Hier bij ons, nuchtere Nederlanders, heeft het een tijdje geduurd, maar het wordt ook hier steeds gekker. Je kunt zelfs een man of vrouw huren die dan bij jouw Valentijn een lied gaat zingen of een gedicht gaat voordragen. Er zijn Valentijnsontbijten en weet ik al niet meer. Zelfs de bakkers doen vrolijk mee met speciale Valentijnstaarten, in de vorm van een hart natuurlijk. Maar ik vind het wel wat hebben, hoor, een kaart bij de post met alleen initialen erop.' Dromerig kijk ik een beetje voor me uit.
'Dus jij weet wie je Valentijn is?' vraagt meneer Veenstra verder.
'Ja,' antwoord ik stralend, 'vanmiddag ga ik hem persoonlijk bedanken.'
Het is even stil voordat meneer Veenstra verdergaat. 'Dus ik maak nu een goede beurt bij mijn vrouw als ik straks met een bloemetje thuiskom?'
Ik schiet in de lach. 'Ze zal het vast en zeker op prijs stellen, maar ik waarschuw u, hoor. U weet, ze willen overal aan verdienen, dus de bloemenprijzen stijgen altijd met dit soort dagen.'
'Net als met moederdag,' bromt meneer Veenstra. 'Maar op de terugweg naar huis fiets ik toch even langs de bloemist. Valentijnsdag, hoe komen ze erop...'
'Het is een dag voor stille geliefden...' breng ik hem even in herinnering. 'U bent al zo lang met haar getrouwd, of heeft u er misschien stilletjes nog een vriendinnetje bij, van de bingo of zo?'
Meneer Veenstra draait zich om en kijkt me met zijn vrolijke ogen aan. 'Nu je het zegt, er is een dame die toch ook een beetje mijn hart heeft veroverd. Ik zal ook bij haar een leuk bloemetje laten bezorgen...'
Ik proest het uit. 'Kijkt u maar uit. Straks hebt u een liefdesprobleem in plaats van liefdesgeluk.'
Meneer Veenstra kijkt me alleen maar lachend aan.
Het consult is afgelopen, en we maken een afspraak voor volgende week. Bij het afscheid geef ik hem, tegen mijn gewoonte in, een dikke knuffel. 'Mevrouw Veenstra zal er ongetwijfeld blij mee zijn,' antwoord ik een beetje verlegen. Zo spontaan ben ik gewoonlijk niet. Ik geef mijn cliënten altijd een hand, en nu krijgt meneer Veen-

stra een knuffel van me. Maar ja, hij heeft ook een speciaal plekje in mijn hart. Maar als Annet dit zou zien...
Hij geeft mij een dikke knipoog. 'Else-Marie, als jij vanmiddag bij je Valentijn langsgaat, zeg dan maar uit mijn naam dat hij een bofkont is.'
Met een rood hoofd sluit ik de deur achter hem. Omdat het Valentijnsdag is, hebben we besloten de praktijk wat eerder te sluiten dan normaal. Om drie uur gaat de deur dicht. Ik kan niet wachten, en om vijf voor drie sta ik al te trappelen van ongeduld. Het is niet zo ver fietsen naar het Margrietplein, maar ik wil gewoon naar Mark toe. Hij mag dan wel aan de beterende hand zijn, maar ik maak me toch wel wat zorgen. Zo'n vrijgezel zorgt natuurlijk niet goed voor zichzelf (ik maak er zelf ook regelmatig een potje van), en ik wil hem gewoon zien en mijzelf in zijn armen storten.
'Hij loopt echt niet weg,' antwoordt Annet op haar zakelijke toon wanneer ze mij zo gehaast bezig ziet.
Verlegen kijk ik haar aan. Annet is zo goed gebekt. Soms zou ik willen dat ik iets van haar had.
'Ga nou maar gauw,' verdedigt Yvonne me. 'En denk erom dat je hem niet ondersteboven walst wanneer je binnenkomt.'
Een moment ben ik verbijsterd. Dan sputter ik wat tegen. 'Zo dik ben ik toch ook weer niet...'
'Dat bedoel ik niet,' grinnikt Yvonne terwijl ze naar het koffiezetapparaat loopt. 'Ik bedoel in je enthousiasme.'
'Jullie horen het allemaal nog wel,' zeg ik, en weg ben ik.

Het duurt even voordat er wordt opengedaan. Ongeduldig wip ik van mijn ene voet op de andere. Schiet nu toch eens op, mopper ik in mijzelf.
Eindelijk wordt er opengedaan, en verschijnt Mark in de deuropening. 'Dag, Else-Marie,' mompelt hij verbaasd. Zijn haar zit in de war, zijn ogen staan waterig, en hij heeft een wat schorre stem. Ik stuif langs hem heen. 'Dag, Mark,' zeg ik stralend. Ik weet niet hoe snel ik mijn jas moet uittrekken, en ik gooi hem van een afstandje op de kapstok. Ondertussen lopen we samen naar de huiskamer.

'Leuk dat je mij een bezoekje komt brengen,' zegt Mark terwijl hij wordt overvallen door een hoestbui. De stralende lach is niet van mijn gezicht af te krijgen.
'Ik kom je bedanken...' lach ik.
Mark haalt zijn hand door zijn haar. 'Bedanken? Waarvoor?'
'Voor dat prachtige boeket natuurlijk.' Ik loop naar hem toe en sla mijn armen om zijn nek. Mijn lichaam druk ik voorzichtig tegen het zijne. Dan kijk ik hem diep in zijn ogen. Hij is echt ziek, denk ik vertederd. Ik antwoord op zachte toon: 'Ik wil graag je Valentijn zijn, Mark van der Klooster. Voor altijd.' Ik zoek zijn mond en begin hem voorzichtig te zoenen. Hij is tenslotte lopend patiënt. Daar kun je niet voorzichtig genoeg mee zijn. Tot mijn grote verbazing beantwoordt Mark mijn kussen niet. In plaats daarvan duwt hij mij voorzichtig van zich af. Niet-begrijpend kijk ik hem aan. In mijn verwarring doe ik een paar stappen terug.
'Ik weet echt niet waar je het over hebt,' begint Mark dan aarzelend.
Van ontzetting krijg ik geen woord meer uit mijn mond. 'Als ik het goed begrijp,' gaat hij verder, 'heb jij een boeket bloemen van mij gekregen voor Valentijnsdag?'
Ik knik. Langzaam krijg ik mijn spraak terug. 'Met een gedicht erbij.' Mijn hart vult zich met angst, want de ogen van Mark worden zo groot als schoteltjes.
'Het spijt mij echt, maar dat boeket is niet van mij, evenmin als dat gedicht.'
De woorden komen bij me binnen als een mokerslag. 'Je naam stond eronder...' stotter ik nog. Ineens besef ik hoe idioot de situatie is. Ik loop naar het raam en probeer mijn tranen tegen te houden. 'Van wie is dat boeket dan afkomstig?' Wanhopig stel ik de vraag hardop. 'Niet van mij, maar als ik had geweten dat het vandaag Valentijnsdag is...'
'Laat maar.' Vermoeid val ik Mark in de rede. 'Het spijt me dat ik je heb lastiggevallen. Van harte beterschap nog.' Als een hond met zijn staart tussen de benen loop ik naar het halletje. Ik trek mijn jas aan. Wat schaam ik me.
'Else-Marie...' klinkt een stem achter me.
Mijn schouders schokken al. Nog even wachten. Niet huilen.

Flink zijn. Ik vergeet Mark gedag te zeggen. Ik weet niet hoe snel ik hier weg moet komen.
'Else-Marie...' klinkt zijn stem nog na in mijn oren. Ik zit al op mijn fiets en weet niet hoe snel ik naar huis moet komen. Weg, weg, hiervandaan, zo snel mogelijk.

Met een wilde ruk open ik de schuurdeur. Mijn hart gaat als een razende tekeer, en ik smijt mijn fiets in een hoek. Bij de deurpost probeer ik wat op adem te komen. Het zweet staat op mijn voorhoofd. Hoe kon ik nu zo stom zijn te denken dat Mark mij leuk zou vinden? Ik heb de grootste blunder aller tijden gemaakt. Dan overvalt mij een enorme woede. Als ik de persoon die dit op zijn geweten heeft, in mijn handen krijg... dan... dan draai ik met liefde zijn nek om. Deze gedachte doet mij wankelen, en weer grijp ik naar de deurpost. Nek omdraaien, nek omdraaien, galmt het door mijn hoofd. Het beneemt mij mijn adem. Zou dat kunnen? vraag ik me af. Zou ik in staat zijn voor de tweede keer een moord te plegen? Het ging zo makkelijk bij Marion. Waarom dan niet nog een keer, klinkt er een stem in mijn hoofd. Ik schud mijn hoofd, alsof ik deze gedachten wil verbannen. Dat met Marion was niet met voorbedachten rade, het kwam plotseling in mij op, als in een opwelling. Wie weet heb ik wel zo'n verwrongen geest dat ik een lustmoordenaar ben, of nog erger, dat er een seriemoordenaar in mij schuilt. De donkere kant van Else-Marie die zich naar buiten wringt. Ik weet niet meer hoe ik het heb. Dan merk ik pas dat ik huil. Of het nu om Marion is of om het hele gebeuren met Mark, ik kan er geen antwoord op geven. Nadat ik een poosje zo heb gestaan, besluit ik naar binnen te gaan.
Daar is het een gezellige boel. Bob zit op zijn praatstoel, en hij is niet met lege handen voor Annet gekomen. Een schitterende bos rozen ligt voor haar op tafel. Martine is er niet meer, zie ik, en Linda en Yvonne luisteren met een glimlach naar de verhalen van Bob. Ze kijken dan ook allemaal verbaasd op wanneer ze mij de keuken zien binnenkomen.
Ik probeer een flauwe glimlach om mijn mond te toveren, maar mijn gezicht spreekt boekdelen.
De gezelligheid is ineens weg, en iedereen kijkt mij bevreemd aan.

Nu kan ik me niet meer groothouden. De tranen stromen als een zondvloed over mijn wangen.
Yvonne komt overeind, neemt mij in haar armen als een moeder en wrijft over mijn haar. Ze duwt me naast Bob op de stoel, die al op zoek is naar zijn zakdoek.
'Was Mark niet thuis?' vraagt Annet zich verwonderd af.
'Hij was er wel,' snotter ik, en wanhopig kijk ik Yvonne aan. Ze heeft nog steeds haar arm om mij heen geslagen.
Met een omhaal van woorden verhaal ik wat er is voorgevallen. Ik krijg van Bob z'n zakdoek in mijn handen gedrukt. Ik veeg mijn tranen weg en snuit mijn neus. 'Ook deze krijg je terug, hoor, Bob,' hoor ik mijzelf met een bibberende ondertoon in mijn stem zeggen. 'Gewassen en gestreken...'
'Dat is je geraden ook,' zegt Bob met een glimlach. Meteen daarna wordt hij serieus. 'Dus als ik alles goed samenvat,' begint hij, 'is dat schitterende boeket niet van Mark afkomstig, hoewel zijn naam er wel onder staat.'
Ik knik nogmaals.
Linda stuift op. 'Dan heeft iemand een verschrikkelijke grap met je uitgehaald.'
Ik zeg niets. Wat valt er nu te zeggen?
'Wat misselijk,' is ook het commentaar van Annet.
Wanhopig kijk ik iedereen aan. 'Meiden, alsjeblieft, wees eerlijk. Als iemand van jullie dit op haar geweten heeft, kom er dan voor uit.'
'Je moet mij niet aankijken'. Dat is typisch Annet weer, op haar vrij scherpe toon. 'Ik wist tot vanmorgen niet eens dat jij tot over je oren verliefd bent op onze wijkagent.'
Ik bijt op mijn lip. Annet heeft gelijk.
'Else-Marie,' zegt Yvonne op zachte toon, 'ik wist het wel, maar ik zou zoiets nooit in mijn hoofd halen.'
Dat weet ik maar al te goed. Zo is Yvonne niet. 'Martine kunnen we ook uitsluiten,' zeg ik triest. 'Ook zij wist van niets.'
'Maar iemand moet wel van jouw gevoelens voor die Mark op de hoogte zijn geweest.' Dat is Bob. Hij gaat er eens goed voor zitten. 'Denk eens na, wie weten dit allemaal?'
Een blos kleurt mijn wangen. 'Alleen Yvonne,' zeg ik zachtjes. Ik

voel me moe. Het liefst wil ik naar boven toe, naar mijn eigen, vertrouwde omgeving.
Dan gaat de bel.
Ik schrik ervan.
Bob staat op om open te doen.
'Als het weer een of andere bloemist is met een boeket, stuur hem dan maar meteen terug,' kan ik nog net op sarcastische toon uitbrengen.
Bob reageert niet. Ik werp nog een blik op het boeket.
'Laat maar hier staan. Dan kan Martine ervan genieten. Is er nog één die er plezier van heeft,' kan ik niet nalaten te zeggen. Maar meteen overvalt me weer een huilbui. 'Ik voelde me zo voor paal staan, daar bij Mark. Wat zal hij wel niet van mij denken? Ik durf hem nooit meer onder ogen te komen,' snik ik.
Weer slaat Yvonne troostend een arm om mij heen. Tegen haar schouders huil ik eens lekker uit.
'We zullen wel nooit te weten komen wie dit heeft gedaan,' probeert Linda mij op te beuren.
Annet kijkt peinzend voor zich uit. 'Misschien kan Martine zich de naam van de bloemenwinkel herinneren, en worden we daar wat wijzer van. Iemand moet toch de rekening betaald hebben.'
Doordat de dames zo voor detective aan het spelen zijn, valt het niemand op dat Bob wel erg lang wegblijft. Mij in ieder geval wel. Ik wil er iets van zeggen, maar dan voel ik zijn hand op mijn schouder.
'Else-Marie,' zegt Bob op zachte toon, 'hier is een jongeman die je het een en ander wil vertellen.'
Verbaasd kijk ik op en draai mij om.
Achter hem staat Mark.
Ook dat nog. Stroef kijk ik eerst Bob aan, en daarna Mark. Mijn gezicht staat niet bepaald vriendelijk wanneer ik zeg: 'Daar heb ik helemaal geen behoefte aan.'
Bob kijkt mij vaderlijk aan. 'Luister nou eerst even wat Mark te vertellen heeft, en vel dan pas je oordeel. Hij is wel helemaal voor jou hierheen gekomen.'
'Daar heb ik toch niet om gevraagd?' reageer ik fel, feller dan de bedoeling is.

Een hoestbui van Mark doorbreekt de stilte.
Ik zucht eens diep. Eigenlijk moet ik Bob wel gelijk geven. 'Nou vooruit dan maar,' zeg ik op stroeve toon. Ik sta op en knik met mijn hoofd in de richting van de bloemenmand. 'Dat is het pronkstuk,' klinkt het spottend uit mijn mond.
Mark krijgt een kleur. Is het verlegenheid of koorts? Ik gok maar op het laatste. Mark pakt zwijgend de mand beet.
Ik wil een nijdig antwoord geven, maar de blik van Bob in mijn richting doet mij zwijgen. Zuchtend en kreunend loop ik voor Mark uit naar de trap. In de keuken blijft het stil.
'Waar kan ik de mand neerzetten?'
De vraag van Mark brengt mij terug in de realiteit. Ik neem de mand van hem over en zet deze op de plek die ik ervoor in gedachten had. Nog steeds zeg ik niets.
'Mag ik gaan zitten?' Verlegen kijkt Mark mij aan.
Ineens schaam ik me. Tenslotte ben ik de gastvrouw. O ja? Ik wil dit zo snel mogelijk achter de rug hebben. 'Natuurlijk, ga je gang,' hoor ik mijzelf zeggen, maar al te vriendelijk komen deze woorden niet uit mijn mond. Ik hoop dat Mark de hint begrijpt, zijn verhaal afsteekt en zo snel mogelijk vertrekt. Nors en onwillig sta ik met mijn rug naar hem toe uit het raam te staren.
'Wil je naast me komen zitten?' Mark stelt de vraag op zachte toon. 'Ik vind het onaangenaam tegen ruggen aan te praten.' Onverschillig haal ik mijn schouders op. In een normale situatie zou ik ook zo reageren, maar dit is geen normale situatie. Schaamte, boosheid, al deze gevoelens komen in mij naar boven. Toch laat ik mij naast hem op de bank ploffen. Nijdig sla ik mijn armen over elkaar heen, en ik kijk strak voor mij uit.
Mark begint te praten. 'Kijk mij eens aan, Else-Marie.'
Ik zucht overdreven, en ik werp een ongeduldige blik op hem. Als hij nu nog niet doorheeft dat hij niet welkom is, is hij wel een sufferd van de bovenste plank.
Mark kijkt me aan met een ernstige blik. Op dezelfde rustige toon gaat hij verder. 'Je hebt me overvallen toen je mijn huis kwam binnenstormen. Ik ben een paar dagen ziek geweest, en ik voel me nog niet zo goed. Anders had ik wel op een andere manier gereageerd.'

Nukkig kijk ik hem aan. 'Je bedoelt dat je mij op de stoep had laten staan?'
Mark schudt zijn hoofd. 'Ik heb mij echt in de datum vergist. Ik was in de veronderstelling dat het vandaag 13 februari is.'
Ik val hem in de rede. 'Wat heeft dat er nu mee te maken?'
'Alles,' gaat Mark verder. 'Wil je me niet telkens in de rede vallen?'
Ik bijt op mijn lip vanwege deze terechtwijzing. Toch kan ik niet nalaten op te merken: 'Heb je er wel over nagedacht hoe ik mij bij jouw thuis voelde? Ik stond compleet voor paal.' Weer springen de tranen in mijn ogen, en met een driftig gebaar veeg ik ze weg. De zakdoek van Bob heb ik nog steeds in mijn hand. Mijn andere hand rust op de bank. Ik schrik wanneer ik merk dat Mark de zijne erop legt.
'Ik dacht dat het morgen 14 februari was. Dan had jij van mij een bos rozen gekregen met daarbij de vraag of je met mij wilde gaan eten, naar de bioscoop of zoiets.'
Woedend wil ik weer uitvallen, maar dan dringen zijn woorden tot mij door. Verbaasd kijk ik hem aan. 'Je bedoelt...' Ik probeer zijn reactie te peilen. 'Houd je mij nu voor de gek? Dit kan ik er niet bij hebben, hoor. Ik voel me toch al zo gekwetst.' Vol wantrouwen komen deze woorden uit mijn mond.
Het gezicht van Mark staat nog steeds ernstig terwijl hij verder gaat. 'Ik kan mijn gevoelens voor jou niet zo goed verwoorden als die persoon die dat gedicht heeft geschreven. Ze komen wel aardig in de buurt, als ik het zo zeggen mag.'
Ik draai mij naar hem om. Ik kan het nog steeds niet bevatten. Dan grijnst Mark van oor tot oor wanneer hij mijn verwarde reactie merkt.
'Als ik het zo mag zeggen: als je nu op dit moment in mijn huiskamer stond en mij weer zou zoenen, zou ik het anders aanpakken. Heel anders.'
Ik kan mijn oren niet geloven. Weer die vervelende tranen, maar nu schaam ik mij er niet voor.
Mark opent zijn armen, en ik laat mij erin vallen.
'Dan doen we het nog eens dunnetjes over,' zeg ik met een schorre stem van de doorstane emoties.
Met een teder gebaar veegt Mark de tranen van mijn wangen en

uit mijn ogen. Onze lippen vinden elkaar in een lange kus, met de bloemenmand als stille getuige op de achtergrond.
'Toch zou ik best willen weten van wie ze nu werkelijk zijn.' Mark kijkt peinzend naar de mand.
Ik nestel mij weer in zijn armen. 'Ach, wat geeft het eigenlijk? Het is toch niet belangrijk meer.' Half slaperig leg ik mijn hoofd op zijn borst. 'Wie het ook geweest is, hij of zij heeft wel voor het gewenste effect gezorgd.' Een geeuw kan ik niet meer onderdrukken. Van vermoeidheid vallen mijn ogen bijna dicht.
'Ga maar lekker slapen,' fluistert Mark in mijn oor.
'Ga jij maar voor agent spelen...' kan ik nog net uitbrengen. Ik hoor zijn hartslag, heel kalm en rustig. Dat is het laatste wat mij opvalt voordat ik in slaap val.

Mark blijft eten. In zijn jaszak heeft hij een doosje aspirines zitten, en daar neemt hij wat van in. 'We moeten zoeken naar de 'gemene deler', begint hij.
'Ik ben niet zo goed in raadspelletjes,' aarzel ik. 'Van mijn kant kun je iedereen wegstrepen. Alleen Yvonne wist wat ik voor je voelde.' Ik voel weer een blos opkomen.
'Je ziet er heerlijk uit met zo'n blos op je wangen. Wist je dat?' Mark kijkt me ondeugend aan.
We gaan verder met puzzelen, maar we komen er niet uit.
Tijdens de afwas krijgt Mark een heldere ingeving. 'Hoe ben je aan mijn adres gekomen? Ik sta niet in het telefoonboek.'
Vragend kijk ik hem aan. Dan knik ik begrijpend. 'Natuurlijk, als er eentje het in z'n hoofd haalt de wijkagent te grazen te nemen...'
'Juist,' antwoordt Mark terwijl hij de soepmokken wegzet. 'Maar in je dossier stond mijn adres. Dus daar heb je niet zo veel moeite voor hoeven doen.'
Ik schud mijn hoofd. 'Je dossier is al opgeborgen in het archief. Martine moet daarvoor naar de kelder, en ze had het nogal druk vandaag.'
Plotseling klinkt er spanning door in de stem van Mark. 'Hoe ben je dan aan mijn adres gekomen?'
Ik weet niet waar hij heen wil. 'Gewoon, ik heb het bureau gebeld. Daar vertelden ze dat je ziek thuis was.'

Mark kijkt mij opgewonden aan. 'Wie heeft je dat dan verteld? Want dat mag niet.'
'Ze mogen toch wel zeggen dat de wijkagent ziek thuis is?'
'Dat wel.' Mark grijnst van oor tot oor. 'Maar ze mogen geen privéadressen doorgeven.'
Nu pas dringt het tot mij door.
We kijken elkaar aan. 'Marianne,' zeggen we allebei tegelijk.
'Ze krijgt hier toch geen moeilijkheden mee, hè?' vraag ik voor alle zekerheid.
Nu vallen alle puzzelstukjes in elkaar. De bereidheid van Marianne om het adres van Mark te geven, zelfs zijn telefoonnummer.
'Als ik het niet aan de grote klok hang, niet, nee. Marianne werkt al zo lang bij ons. We kunnen dat niet als een beginnersfout rekenen. Er worden aan niemand privéadressen en telefoonnummers verstrekt.'
Ik haal opgelucht adem.
Dan wordt Mark plotseling overvallen door een enorme hoestbui. Met schrik bemerk ik dat hij nog steeds een behoorlijke verkoudheid heeft. 'Jij wilde morgen weer gaan werken?' merk ik spottend op. 'Als ik jou was, zou ik er nog maar een dagje aan vastknopen.'
Ik zet het koffieapparaat aan. 'Ik ga morgen wel even bij Marianne langs, om haar te bedanken. Zij heeft toch mooi voor Cupido gespeeld.' Ik sla mijn armen om de nek van Mark en streel voorzichtig zijn haar.
'Doe haar vooral mijn hartelijke groeten,' bromt Mark in mijn oor.

De volgende morgen sta ik al vroeg op de stoep van het politiebureau. Bij de balie word ik geholpen door een man met een kaal hoofd. Van schrik deins ik achteruit.
Hij schijnt het niet te merken. 'Goedemorgen, mevrouw. Wat kan ik voor u doen?' vraagt hij vriendelijk.
Ik stotter of Marianne Korteweg misschien aanwezig is. 'Jazeker. Heeft u een momentje? Dan haal ik haar even.'
Even later komt hij terug met Marianne in zijn kielzog.
'Goedemorgen, Else-Marie,' zegt ze verbaasd. 'Gaat onze afspraak niet door?'

'Nee hoor,' stel ik haar gerust. 'Als dat zo was geweest, had Martine je wel gebeld en een nieuwe afspraak gemaakt. Mag ik even achter de balie komen? Het is nogal privé, zie je.' Ik kijk afwachtend naar de man, die op een knopje onder de balie drukt. Het poortje gaat open, en ik kan erdoor.
'Loop maar even mee naar mijn bureau,' zegt Marianne, nog steeds duidelijk verbaasd. 'Neem plaats.'
'Nee, nee, daar heb ik geen tijd voor,' zeg ik wat gehaast. Dan trek ik haar naar mij toe en omhels haar hartelijk. Een aantal collega's kijken met vreemde blikken naar dit tafereel, maar daar heb ik maling aan. 'Dank je wel voor het schitterende Valentijnsboeket. Alle details vertel ik je wel wanneer je van de week bij me komt. Maar je moet de hartelijke groeten hebben van Mark. En ja, Cupido, het is je gelukt.' Stralend kijk ik haar aan.
Marianne krijgt een kleur als een biet. 'Ik weet van niets,' probeert ze zich er nog onderuit te praten.
'We zijn nu samen, maar het heeft wel wat moeite gekost.'
Ze krijgt drie zoenen van me, en dan neem ik snel afscheid, het hele politiebureau in verbijstering achterlatend.
Wanneer ik bij onze praktijk kom, is de werkbespreking al begonnen.
Annet kijkt verstoord over haar leesbril heen wanneer ik binnenkom.
Ik groet iedereen en verontschuldig mij voor het feit dat ik te laat ben. De stralende blik in mijn ogen zegt genoeg.
Wanneer de werkbespreking afgelopen is, wil iedereen graag weten hoe het nu zit met Mark en mij. Omdat Martine er niet bij was, wordt het eerdere verhaal eerst verteld.
'Het is nu officieel aan?' vraagt Yvonne met een ondeugende glimlach.
'Ja,' antwoord ik eenvoudig.
'En wie was nu die Cupido? Zijn jullie daar ook nog achter gekomen?' Dat is Annet.
Ik schud mijn hoofd. 'Helaas niet. Ik denk niet dat we daar ooit nog achter zullen komen.'
Een brede lach siert de hele dag mijn gezicht. Tussen twee cliënten door gaat de binnenlijn. Het is Martine, die vertelt dat er iets voor

mij is afgeleverd. Met een brede glimlach loop ik naar haar toe. Daar ligt het beloofde Valentijnsboeket van Mark. Met een kaartje erbij, waarop staat: 'Van de enige echte M. van der K.' Ik pak één roos eruit en zoen deze voorzichtig.
Martine staat er glimlachend bij te kijken. 'Hier,' zegt ze, en ze pakt nog een plantje van achter de balie vandaan. 'Deze is ook voor jou.'
Verwonderd kijk ik haar aan. Het is een plantje, versierd met een beertje dat een hartje in zijn pootje heeft. Ook hier hangt een kaartje aan. Nieuwsgierig maak ik het open. In bibberig handschrift staat er geschreven: 'F.V.'
Martine en ik kijken elkaar lachend aan. 'Meneer Veenstra,' zeggen we allebei tegelijk.
De bos rozen zet Martine voor mij in een vaas. Het plantje van meneer Veenstra neem ik mee naar mijn kamer. Het krijgt een ereplaatsje op mijn bureau. Martine mag vandaag van de bos rozen genieten. Aan het eind van de werkdag neem ik het boeket mee naar boven.

HOOFDSTUK 16

Toch wil ik weten waarom Mark niet eerder werk van mij heeft gemaakt.
Hij lacht verlegen wanneer ik ernaar vraag. 'Ik was bang een blauwtje te lopen,' krijg ik als antwoord.
'Je loopt al in het blauw,' kaats ik terug. Met zijn antwoord ben ik niet tevreden. 'Ik heb zo veel signalen afgegeven dat ik jou zo leuk vond.' Ik kan mij bijna niet voorstellen dat er niets van dat alles bij hem is doorgekomen.
Mark wordt nog roder dan hij al is. 'Ik vond je meteen al een leuke vrouw, tijdens onze eerste ontmoeting.' Hier houdt hij op.
Ik hang zowat aan zijn lippen. Laten we eerlijk zijn, dit zijn nu eenmaal dingen die een vrouw fijn vindt om te horen. 'Ga verder,' dring ik dan ook aan.
'Tijdens het onderzoek kon ik niet veel beginnen. Dat begrijp je wel. Toen ik er later over nadacht, kon ik bijna niet geloven dat je geen relatie had. Ik had de moed niet om je mee uit te vragen, behalve die keer toen we in de bibliotheek tegen elkaar aan botsten.'
Ademloos luister ik naar het vervolg. Hoe vaak Mark niet met de telefoon in zijn hand had gestaan om mij te bellen. Dat hij af en toe langs zijn neus aan Marianne had gevraagd hoe het met de praktijk ging, om zo toch op de hoogte te blijven van mijn reilen en zeilen.
'Als we Marianne niet hadden,' besluit ik.
'We zijn haar heel wat verschuldigd,' is ook de mening van Mark. Hij legt zijn hand op de mijne. 'Als we ooit nog eens besluiten te trouwen, vragen we haar als getuige.'
Ik schrik. Trouwen? 'Daar heb ik nog niet over nagedacht,' stamel ik ongerust.
Mark stelt mij gerust. 'We hebben het er nog weleens over.'

'Laten we daar nog maar even mee wachten,' zeg ik voorzichtig lachend. Op de achtergrond verschijnt de gestalte van Marion. Aan de andere kant ben ik nog nooit zo gelukkig geweest. Dit voorjaar wordt het mooiste dat ik me ooit kan herinneren. Een liefde die wordt beantwoord, is toch het fijnste wat iemand mag meemaken. Ik waan mijzelf regelmatig in de zevende hemel. Soms heb ik het gevoel dat ik op wolken loop. Helaas kom ik daarna toch met een smak met beide benen op de grond terecht. Ik hoef maar aan Marion te denken, of het is gebeurd. Dan zucht ik maar eens diep. Ik zal het toch een keer aan Mark moeten vertellen. Dat moment probeer ik zo lang mogelijk uit te stellen. We leven in het hier en nu. Verder dan vandaag wil en kan ik niet kijken.
Op zondagmorgen, wanneer Mark weekenddienst heeft, maak ik vaak een wandeling door de stad. Meestal kom ik dan bij de kerk uit. Ik neem plaats op het bankje ernaast en sluit mijn ogen. Ik luister dan met genoegen naar de eeuwenoude psalmen en gezangen die uit het gebouw naar buiten komen. Er gaat zo'n rust uit van het oude gebouw. Soms stel ik mij voor dat de dominee ineens naast mij op het bankje komt zitten, mij vragend aankijkt en die ene vraag stelt: 'Wat is er aan de hand?' Ik zou zo voor de bijl gaan en alles vertellen. Wat lijkt het mij heerlijk na mijn verhaal de woorden te horen: 'Je zonden zijn je vergeven. Ook deze moord.' Maar ik begrijp heel goed dat het niet zo makkelijk zal gaan. Dat er meer nodig is dan de woorden van een predikant. En dan Marion. Wat zou ik graag zien dat ze weer levend voor mij zou staan. Dat er nooit iets gebeurd zou zijn, en alles bij het oude was gebleven. Dat ik Mark op een andere manier had ontmoet. Dat het ooit allemaal was begonnen in de bibliotheek in plaats van met een moord.

Op een zaterdagmiddag kijkt Mark mij met een geheimzinnig lachje aan. 'Ik wil je voorstellen aan een speciale dame die een heel belangrijke plaats in mijn leven heeft.'
Lachend beantwoord ik zijn blik. 'Ik dacht dat ik die vrouw was,' is mijn antwoord, terwijl ik met mijn hand door zijn haarbos wrijf.
'Dat ben je ook,' fluistert Mark in mijn oor.

Ik trek een pruillipje. 'Laat mij eens raden. Je moeder?' Vragend trek ik mijn wenkbrauwen omhoog.
'Je mag nooit meer raden,' zegt Mark op tedere toon. 'En jij roept om het hardst dat je niet goed bent in raadspelletjes.'
Gelukkig heeft Mark het mij niet eerder verteld. Want dan had ik duizend en één excuses verzonnen om niet met hem mee te gaan. Het voelt toch als een soort van test, een keuring. Aarzelend maak ik hem van mijn gedachten hierover deelgenoot.
'Daarom juist,' antwoordt Mark zelfbewust. Weer raakt het mij hoe goed hij mij eigenlijk kent, en dat al na zo'n korte tijd.
Het blijkt dat zijn moeder vanmiddag bij hem op bezoek komt. Een mooie gelegenheid, aldus Mark, om ons op een rustige manier met elkaar te laten kennismaken. Nu ben ik al een paar keer bij Mark thuis geweest, en is het geen onbekend terrein meer voor mij. Toch ben ik gespannen, maar Mark stelt mij gerust. Zijn moeder is al een paar jaar weduwe en woont in een dorpje onder de rook van Utrecht. Mevrouw Van der Klooster is al op leeftijd, maar ze woont nog zelfstandig in een seniorenflat. Bij haar in de buurt woont een oudere zus van Mark, en die komt haar één keer in de week helpen met het huishouden. Voor het overige leidt ze een actief leven. Ze wandelt graag, houdt van handwerken en is dol op haar kleinkinderen.
Voorzichtig vraag ik aan Mark of zijn moeder op de hoogte is van mijn bestaan. 'Anders valt het misschien wat rauw op haar dak,' denk ik hardop.
'Daar hoef je je echt geen zorgen over te maken,' stelt Mark mij gerust. 'Natuurlijk heb ik haar over jou verteld. Trouwens, ze zag het meteen aan me, zonder dat ik er zelf over begon.'
Ongewild moet ik lachen. 'Moeders eigen,' zeg ik op hartelijke toon. 'Als ze net zo is als jij, zal het ongetwijfeld meevallen.' Ik krijg die jongensachtige grijns van Mark weer te zien. Wanneer hij zo naar me kijkt, weet ik niet meer hoe ik het heb. Die lach zet mij in vuur en vlam, en een blos kleurt mijn wangen.
Terwijl Mark zijn moeder gaat halen, blijf ik alleen achter. Ik rommel wat in de keuken, maak het dienblad in orde en zet de koffiepot al gereed. Ook zet ik de fluitketel op een kleine pit. Af en toe loop ik naar het raam om te kijken of ze er al aankomen. Wanneer

ik toch nog onverwachts portieren hoor dichtslaan, schrik ik op uit mijn gedachten. Zenuwachtig open ik de voordeur. Ja hoor, daar komen moeder en zoon. De gelijkenis is treffend.
Met een stralende lach en uitgestoken handen komt mevrouw Van der Klooster mij tegemoet. 'Dag, Else-Marie. Wat leuk je nu eens te ontmoeten. Mark heeft mij al zo veel over je verteld.'
Verlegen kijk ik haar aan.
Achter haar staat Mark, die alles met een brede grijns bekijkt.
Natuurlijk vergelijk ik haar met mijn moeder. Als mijn moeder nog had geleefd, was ze net zo geworden als mevrouw Van der Klooster. Daar ben ik van overtuigd. Met pijn in mijn hart bedenk ik dat Mark het opperbest met mijn ouders had kunnen vinden. Wat zou mijn vader gelukkig geweest zijn dat hij een schoonzoon had die wel van een potje voetbal hield en die ook op z'n tijd van een goed boek kon genieten. Bitterzoete herinneringen komen bovendrijven. Iets wat ik zo graag had gewild, maar wat nooit zal gebeuren. Hoe de toekomst voor ons beiden eruit zal zien, daar durf ik helemaal niet aan te denken.

'Heb je zin om met mij mee te gaan naar een personeelsavondje?'
Afwachtend kijkt Mark mij aan.
Ik schrik van zijn woorden, maar dat laat ik niet blijken. Een personeelsavondje. Ik ben dol op dat soort dingen. Toen ik nog als secretaresse werkte, liep ik ook altijd van alles en nog wat te organiseren met collega's en zo. Aan de ene kant wil ik niets liever dan kennismaken met de collega's van Mark. Hij heeft al het een en ander over hen verteld. Nu ben ik eindelijk in de gelegenheid om de gezichten bij die verhalen te plaatsen. Aan de andere kant heb ik het gevoel dat ik mij wel moedwillig in het hol van de leeuw zal begeven. Eén verkeerde opmerking, een verspreking, en ik werk mezelf in de nesten. Ik schenk Mark mijn liefste glimlach en antwoord dat ik graag met hem mee wil. 'Weet je al wat we gaan doen? Want dan moet ik mijn klerenkast eens onder handen nemen.'
Mark werpt mij een verbaasde blik toe. 'Er staat een etentje op het programma,' reageert hij voorzichtig.
Ik sla mijn armen om zijn nek. 'Leuk, dat geeft mij weer een smoes om nieuwe kleren te kopen.'

Er verschijnt een angstige trek op het gezicht van Mark. 'Als ik maar niet mee hoef.'
'Jammer,' zeg ik zogenaamd teleurgesteld. 'Maar als ik iets leuks heb gekocht, laat ik het je wel zien.' En dat terwijl ik helemaal niet zo van winkelen houd. Het is een informeel etentje, dus ik besluit me sportief te kleden.
Mark informeert belangstellend naar de vorderingen die ik maak op koopgebied.
Een aantal keren vertrek ik naar de stad, en net zo vaak kom ik met lege handen thuis. 'Het is altijd hetzelfde liedje,' mopper ik tegen Mark na weer een vergeefse zoektocht. 'Als ik niets nodig heb, struikel ik over de leuke dingen. Wil ik iets speciaals, dan is het alsof er niets te krijgen is.'
Mark leeft met mij mee. Althans, hij doet een poging in die richting, maar er klinkt opluchting in zijn stem wanneer hij zegt dat hij blij is dat hij een man is. Daar ben ik het helemaal mee eens.
Wanneer eenmaal de grote avond aanbreekt, heb ik nog niets geschikts gevonden. Het wordt dus combineren geblazen. Ruim voor de afgesproken tijd dat Mark mij komt halen, ben ik al klaar. Ik werp een laatste blik in de spiegel voordat ik mijn lievelingsparfum aanbreng. Ik zie ertegen op en probeer mezelf wat moed in te spreken. Wie zou er nu een verband leggen tussen Marion van der Laan en mij? Niemand toch? In een wereldstad als Utrecht gebeuren zo veel dingen, en het is al zo lang geleden. Ik zou het echt een wonder vinden als iemand zich die zaak nog zou herinneren. Toch neem ik me voor die avond goed op mijn tellen te passen.
Wanneer Mark en ik het restaurant binnenkomen, is het al een drukte van belang. Mark legt uit dat het collega's zijn van het wijkbureau. Een aantal van hen zijn er niet bij. Die zijn achtergebleven bij het wijkbureau. Die mogen er een andere keer bij zijn. Marianne is een van die achterblijvers.
Ik word aan diverse mensen voorgesteld, en iedereen is hartelijk en aardig. Ook ontmoet ik de man met het kale hoofd weer. Van schrik deins ik wederom wat achteruit.
Mark ziet mijn reactie en vraagt nieuwsgierig naar het waarom.
Ik leg uit waar ik hem eerder heb ontmoet. 'Ik schijn niet van kale mannen te houden,' probeer ik grappig te zijn.

Mark schudt zijn hoofd. 'Ik zal Jeroen aan je voorstellen. Hij is de hoofdcommissaris.'
Dit is dus de baas van Mark. Zenuwachtig volg ik Mark.
Jeroen kijkt mij oplettend aan, alsof hij mij probeert thuis te brengen. Wanneer Mark vertelt waar Jeroen mij eerder heeft gezien, grijnst hij van oor tot oor. Hij is het nog niet vergeten.
Ik ben blij dat Marianne er niet is. Want dan had ik mij behoorlijk opgelaten gevoeld.
De sfeer aan tafel is gezellig, en langzamerhand verdwijnt de spanning uit mijn lichaam.
Dan buigt een collega die tegenover mij zit, over de tafel heen en stelt die ene vraag. 'Hoe hebben jullie elkaar eigenlijk leren kennen?'
Die vraag had ik wel min of meer verwacht, maar nu zij wordt gesteld, overvalt ze mij toch. 'We zijn tegen elkaar opgebotst in de bibliotheek,' haast ik mij te zeggen.
Mark kijkt mij bevreemd aan, maar doet er het zwijgen toe.
De collega vraagt niet verder.
Opgelucht haal ik adem.
De avond verloopt verder naar wens. Er wordt gelukkig niet over het werk gesproken. Vooral persoonlijke onderwerpen komen aan bod. Toch ben ik blij en opgelucht wanneer het etentje afgelopen is, en Mark mij naar huis brengt.
In de auto begint hij erover, maar ik heb mijn antwoord zorgvuldig ingestudeerd. 'Ik vond het zo raar te zeggen dat ik je heb ontmoet tijdens het onderzoek naar de verdwijning van Marion van der Laan.'
Mark schatert het uit. 'Dat had je gewoon kunnen vertellen hoor. Niemand die daarvan opkijkt.'
Ik herinner mij ineens dat ik ooit voor een advocaat heb gewerkt die zijn vrouw had ontmoet bij een advocatenkantoor. Zij was zijn cliënte, en hij hielp haar met haar echtscheiding. Hij nam het woord 'bijstand' wel erg letterlijk. Na het uitspreken van de scheiding zijn ze samen verder gegaan, met een huwelijk als eindresultaat. Wanneer ik dit in geuren en kleuren aan Mark vertel, wordt zijn lach almaar breder.

We liggen samen op de bank. Met liefde streel ik Marks blonde krullenbos. Een diepe zucht ontsnapt uit mijn keel.
Mark kijkt me lachend aan. 'Waar denk je aan?' is zijn vraag.
Ik haal mijn schouders op. 'Nergens aan, gewoon dat ik gelukkig ben.' Ik kijk Mark aan. 'Met jou, met alles eigenlijk.'
'Ik ook,' fluistert hij in mijn oor.
Ik sla mijn armen om zijn nek en zoek zijn mond. Aan alles merk ik dat hij verder wil gaan dan alleen maar zoenen. Ik ook. Ik verlang net zo veel naar hem als hij naar mij. Wanneer hij vanaf mijn rug via de zijkant mijn borsten aanraakt, merk ik dat hij verstart. Net alsof hij niet verder durft te gaan.
Ik kijk hem vragend aan. 'Ik ben bang je pijn te doen wanneer ik ze aanraak,' zegt hij zacht, en verlegen draait hij zijn hoofd weg.
'Dat dacht ik al,' antwoord ik al even zacht terug. Ik pak zijn hoofd weer tussen mijn handen en geef hem een zoen op zijn voorhoofd. 'Daar gaan we iets aan doen.' Handig spring ik van de bank af, en ik loop naar mijn slaapkamer. Ik rommel in een kastje en kom terug met wat massageolie. Ik ga voor hem op de bank zitten en trek in één beweging mijn huisjurk uit. 'Wees niet bang. Er gebeurt niets,' probeer ik Mark gerust te stellen. Ik pak zijn beide handen en leg ze op mijn borsten. 'Voel maar eens,' nodig ik hem uit. 'Sluit nu je ogen en alleen maar voelen.'
Zijn handen trillen nog, maar toch doet hij wat ik hem vraag.
Wat een heerlijke man, flitst het door mijn gedachten.
Met de grootste tederheid die je je als vrouw kunt voorstellen, betast hij mijn borsten. Dat brengt bij mij ook de nodige reacties teweeg, maar die probeer ik te onderdrukken. Die tijd komt nog wel.
'Nu maak je mijn beha los, nog steeds met je ogen dicht.'
Inmiddels heb ik ook mijn ogen gesloten. Ik voel dat zijn handen hun weg zoeken naar mijn rug. Wanneer Mark de sluiting heeft losgemaakt, vraag ik hem: 'Nu je handen weer naar voren. Goed zo.' Ik pak het flesje met olie en giet een paar druppels in zijn handen. 'Zo, dit is de olie, en die wrijf je nu in je handen. Je handen moeten wel warm zijn.'
Ik wacht totdat hij gedaan heeft wat ik zei. 'Nog steeds je ogen gesloten houden.'

Het trillen van zijn handen wordt al minder.
Ik neem zijn handen in de mijne. Ik kan het niet laten ze allebei te kussen. 'Ik leg ze nu weer op mijn borsten, en voel dan maar,' is alles wat ik zeg. Voorzichtig leid ik zijn handen. 'Mijn tepels laat je voor wat ze zijn. Nu voorzichtig naar boven, tot aan mijn schouders, en dan tasten.' Weer help ik Mark een handje. 'Voel je de knobbeltjes?' vraag ik voorzichtig.
'Ja,' zegt Mark, die zijn ogen wil opendoen.
'Nee, nee, dichthouden. Nu maak je ronddraaiende bewegingen met je vingers naar beneden. Eerst mijn ene borst. Straks komt de andere aan de beurt. Nog steeds niet aan mijn tepel zitten. Daar ga je omheen.' Voorzichtig, heel voorzichtig doet Mark wat ik hem vraag. Mijn ogen heb ik inmiddels geopend, en met een tevreden glimlach om mijn mond zie ik zijn reactie.
Zijn gezicht ontspant, en dat is precies mijn bedoeling.
'Knijp er maar zachtjes in.' Ik laat Mark zijn gang gaan tot onder aan mijn borst. Dan pak ik weer zijn beide handen en leg ze op mijn andere borst. 'Daar doe je precies hetzelfde, weer van boven naar beneden.'
'Mag ik nu mijn ogen al opendoen?' is zijn vraag.
'Houd ze nog maar even dicht. We zijn nog niet klaar,' zeg ik plagend. Wanneer hij mijn linkerborst gemasseerd heeft, pak ik zijn beide handen en leg die op mijn tepels. Die zijn door zijn aanrakingen ook niet ongevoelig gebleven. 'Voel maar, knijp er maar zachtjes in.' Ik merk dat Mark zich steeds meer ontspant. Ook mijn lichaam reageert in hevige mate op zijn strelingen. 'Je hebt nu wel mijn vrouw-zijn aangewakkerd.' Ik sla mijn armen om zijn nek en zoen hem teder op zijn mond. 'Vooral doorgaan, Mark van der Klooster, je bent een heel goede leerling.' Ik kijk hem met een liefdevolle blik aan. 'Kom,' zeg ik, en dat is voldoende.
'Dank je wel,' antwoord ik verlegen, terwijl ik met mijn hoofd op zijn borst rust.
Mark streelt voorzichtig mijn haar en geeft er een zoen op. 'Waarvoor?' vraagt hij verbaasd.
Ik draai me om en kijk hem aan. 'Nou, je hebt mij een cadeau gegeven, en dan vind ik het de normaalste zaak van de wereld dat ik je daarvoor bedank.'

'Ik geloof dat ik je niet begrijp. Wil je het me uitleggen?'
Ik draai me op mijn buik, met mijn benen in de lucht en mijn hoofd steunend op mijn handen. Ik kijk Mark lang en diep in zijn ogen. 'Je hebt me net iets gegeven wat puur is, zuiver zoals alleen een man dat kan doen bij een vrouw die hij liefheeft.' Ik word verlegen onder zijn blik. 'Liefde,' fluister ik slechts. Ik strek mijn hand uit en aai hem over zijn gezicht.
Mark neemt mijn hand in de zijne en kust de mijne.
Dan trek ik een pijnlijk gezicht.
Mark schrikt, maar ik stel hem gerust. 'Mijn borsten hebben nu heel wat te verduren gehad. Ik trek mijn nachthemd aan en dan gaat het wel weer.'
Mark is er niet gerust op. Dat zie ik aan zijn gezicht.
Ik stel hem op zijn gemak. 'Daarom adviseer ik mijn vrouwen dit onderzoek ook altijd bij zichzelf te doen, en niet door hun partner. Ze leren dan vertrouwd te raken met hun eigen lichaam. Ze kunnen een knobbeltje ontdekken. Het is meestal wel goedaardig, maar toch... Het kan zijn dat er sprake is van kanker. Daarom kun je dat zelfonderzoek het beste doen vlak voordat je ongesteld wordt. Natuurlijk is het ook fijn als je partner het doet. Dan weet hij wat je voelt en wat je bedoelt.' Guitig kijk ik Mark aan.
'Dus na een vrijpartij,' vraagt hij, en ik hoor een enigszins opgeluchte toon in zijn stem.
'Dan trek ik altijd iets aan. Dan zijn mijn borsten extra gevoelig, maar dat trekt vanzelf weg, hoor.' Intussen heb ik mijn nachthemd aangetrokken, en ik kruip weer dicht tegen Mark aan. Ik sla mijn arm om zijn middel heen, en mijn hoofd rust weer op zijn borst. 'Nu weet je ook meteen waarom ik een beugelbeha draag. Dat geeft meer steun dan een gewone beha. Sommige vrouwen dragen zelfs een sportbeha. Maar dat hoeft voor mij niet. Ik heb het wel geprobeerd hoor, maar ik vond het niet prettig zitten.' Hier houd ik op, en ik zeg op verbaasde toon: 'Ik speel wel voor juffrouw.'
Van deze opmerking schiet Mark in de lach. 'Welnee, meisje, het is goed over deze dingen te praten. Ik ben immers je man?'
Het heerlijk veilige gevoel keert weer terug, en ik pak Mark nog steviger vast. Wat voelt dit goed. Ik wil deze momenten zo lang mogelijk vasthouden.

Het is alsof Mark mijn gedachten kan raden. Hij fluistert zacht in mijn oor: 'Ik hoop dat we nog vaak op deze manier van elkaar zullen genieten. Ik zal er in ieder geval mijn best voor doen.'
Ik kijk naar hem op. 'Ik ook,' antwoord ik zachtjes, terwijl ik met mijn hoofd weer op zijn borst rust.
'Hoe denk je over kinderen?' fluistert Mark zachtjes.
Kinderen? Van schrik ben ik weer helemaal bij de les. 'Daar ben ik, denk ik, een beetje te oud voor,' zeg ik met enige spijt in mijn stem. 'Een zwangerschap op mijn leeftijd is niet helemaal zonder risico's.' Waarom heb ik deze man niet op de middelbare school ontmoet. Wat zou mijn leven dan anders zijn verlopen. 'Heb jij nooit over kinderen gedacht?' vraag ik hem.
'Willy en ik dachten: dat komt later nog wel een keer,' antwoordt Mark zacht. 'Het is er nooit van gekomen. Eigenlijk maar beter ook. Een scheiding is nog veel erger wanneer er ook kinderen in het spel zijn.'
Ik moet meteen aan Anne en Lotte denken, hoe moeilijk die het ermee hebben, hoe oud ze ook al zijn.
'Volgens mij zou je een lieve moeder zijn.' Mark neemt mijn beide handen in de zijne.
Ik glimlach slechts. 'Wie weet,' is alles wat ik kan uitbrengen. Een moordenares als moeder, dat wil je je kind toch niet aandoen? Ik probeer de gedachte uit mijn hoofd te bannen, net als alle andere gedachten die met Marion te maken hebben.

Die maandagmorgen ben ik nog steeds in de wolken. Niets, maar dan ook niets kan mij vandaag uit mijn humeur brengen.
Yvonne heeft het meteen door, maar ze houdt wijselijk haar mond. Na onze werkdag blijft ze langer dan nodig is. Ze draalt een beetje rond en zodra we alleen zijn, valt ze met de deur in huis. 'Wat is er aan de hand?'
Een stralende blos verschijnt op mijn gezicht. Ze luistert aandachtig en kijkt me dan ernstig aan. 'Else-Marie, ik ben reuze blij voor je, maar nu even praktisch. Hebben jullie iets gebruikt?'
Verbaasd kijk ik haar aan. Dan dringt tot mij door dat Yvonne het over voorbehoedmiddelen heeft. 'Ik heb wel een spiraaltje,' zeg ik voorzichtig, alsof daarmee alles is opgelost.

Yvonne schiet in de lach. 'Dat is om een zwangerschap te voorkomen, maar tegen een soa helpt dat niet, hoor.'
'Een soa? Wat is dat nu weer?'
'Een seksueel overdraagbare aandoening.'
Weer wat wijzer geworden, maar ik heb nog steeds niet door waar Yvonne naartoe wil. 'Wat heeft dat met Mark en mij te maken?' vraag ik dan ook aarzelend verder.
Dan wordt Yvonne ernstig. Ze leunt over de tafel met haar armen over elkaar. 'Vertel eens, wat weet je van het liefdesleven van Mark?' De verbijstering moet op mijn gezicht te lezen zijn, want ze wordt steeds ernstiger. 'Else-Marie, weet jij hoeveel procent van de mensen als jij een geslachtsziekte oploopt? Dat percentage is schrikbarend hoog. Veel hoger dan tot nu toe werd gedacht. Allemaal mensen die, na jaren een vaste partner te hebben gehad, gescheiden zijn of weduwe of weduwnaar geworden zijn en daarna een nieuwe relatie beginnen zonder veilig te vrijen, met alle gevolgen van dien.'
Zo heb ik het nog niet bekeken.
'Ik weet dat Mark voor jou de eerste is na Bram. Maar hoe zit het met Mark?'
Ik weet het niet. 'Na zijn scheiding heeft hij nog wel een relatie gehad, maar die heeft hooguit een halfjaar geduurd.'
Yvonne strijkt behoedzaam over haar kin. 'Als ik je een advies mag geven, praat er eens met hem over. Overigens, als het een beetje vent is met verantwoordelijkheidsgevoel, begint hij er zelf wel over, en dan heeft hij wel iets bij zich.'
Weer bloos ik. 'In het heetst van de strijd denk je daar niet aan,' verdedig ik mijzelf en Mark.
'Juist, daarom,' is het antwoord van Yvonne.
Natuurlijk heeft Yvonne gelijk. Ze is een verstandig mens op dat gebied. Ik besluit de eerstvolgende keer de kwestie bij Mark aan te kaarten, hoe moeilijk ik het ook vind.

Dat moment komt eerder dan ik dacht. Die woensdagavond staat Mark opeens voor de deur.
Ik vlieg hem om zijn hals. 'Ik dacht dat je middagdienst had.' Lachend kijk ik hem aan.

Hij schudt zijn hoofd. 'Een collega wilde ruilen, en toen dacht ik: laat ik mijn vriendin eens gaan plagen.'
'Je bedoelt andersom,' snuif ik zogenaamd verontwaardigd.
Wanneer we later in elkaars armen op de bank liggen, zucht ik diep.
Mark vraagt fluisterend in mijn oor wat er is.
Nu komt het moeilijke moment. 'Het was heerlijk samen zo één te zijn, maar ik vraag mij af...' Verder kom ik niet met mijn verhaal.
Mark houdt mij nog steviger vast. 'Ik denk dat ik wel begrijp waar je naartoe wilt. Voorbehoedmiddelen toch?'
'Dat klopt,' antwoord ik aarzelend. 'Ik heb een spiraaltje, maar dat biedt geen bescherming tegen geslachtsziekten.' Het is eruit.
Mark streelt teder mijn haar. 'Als jij wilt vrijen met een condoom, vind ik dat prima. Ik heb er al rekening mee gehouden en een paar pakjes gekocht. In mijn jaszak heb ik een pakje zitten voor hier, en bij mij thuis liggen de andere.'
'Dat je daaraan hebt gedacht,' antwoord ik verbaasd.
'Het is toch ook mijn verantwoordelijkheid?'
Ik hoor de verontwaardiging in zijn stem. 'Ik vind het zo'n onzin als ze zeggen: dat is een vrouwenkwestie. Kom op, hoor, vrijen doe je met z'n tweeën.'
Ik ben blij dat het wat schemerig is. 'Bram heeft nooit condooms gebruikt. Voor ons was het beiden de eerste keer. Ik heb er dus geen enkele ervaring mee.'
'Nogmaals, als jij het wilt, gebruik ik ze.'
Ik schud mijn hoofd. 'Liefde is ook vertrouwen. Misschien klinkt het ouderwets, maar zo voelt het voor mij wel.'
Mark zoent mij op mijn voorhoofd. 'Zoals je wilt. Mocht je van gedachten veranderen, gewoon zeggen. Ik wil niet dat je geheimen voor mij hebt.'
Verlegen buig ik mijn hoofd, terwijl mijn hart ineenkrimpt onder deze woorden. Je moest eens weten, denk ik. Het grootste geheim van mijn leven kan ik niet met je delen. In stilte vraag ik mij af of ik ooit de moed zal vinden om Mark over Marion te vertellen.

HOOFDSTUK 17

Op het eind van een vrijdagmiddag word ik gebeld. Anne in paniek aan de lijn. Ze huilt en is vreselijk overstuur. Ik probeer haar verhaal te volgen, maar dat lukt niet helemaal. Ik probeer haar te kalmeren, wat wonderwel lukt. 'Ik voel een knobbeltje in mijn borst, en ik weet mij geen raad. Wat moet ik nu doen?'
Van dit bericht schrik ik, al probeer ik dat niet te laten merken. Anne nog meer van streek maken heeft geen zin. Ik stel haar een aantal vragen, die ze beantwoordt. Ze had gisteren, nadat ze een douche had genomen, tijdens het afdrogen een knobbeltje gevoeld. Ze had eerst gedacht dat het een vetknobbeltje was en er verder geen aandacht aan besteed. Het zou immers vanzelf weg kunnen gaan. Toch had ze zich er niet gerust bij gevoeld. Vanmorgen zat het er nog steeds, en toen kwam langzamerhand het spookbeeld naar boven: het zou toch geen kanker zijn? Anne had zichzelf gerustgesteld door te bedenken dat ze niet uit een kankergevoelige familie kwam. Zowel aan de kant van Lies als aan die van Bob had niemand die ziekte ooit gehad. Waarom zij dan ineens wel? Het hele idee had haar echter niet losgelaten, en was omgeslagen in de gedachte: waarom ik niet? Ze had ook pijn, vertelde ze. Behoorlijk veel pijn zelfs.
'Het is net alsof er een sinaasappelpers op mijn huid is geplakt, met daaroverheen een laagje vel.'
Ik luister aandachtig naar haar verhaal. Erover praten zal haar goeddoen. Nee, ze heeft nog niet naar haar huisarts gebeld. Ik bijt op mijn lip en kijk naar de klok. Het is al na vijven: de praktijk is nu gesloten.
Anne barst weer in huilen uit.
Ik neem het heft in handen. 'Anne, je pakt je weekendtas en je komt nu naar mij toe. Dan kan ik je borst betasten, je bent niet al-

leen, en ik kan je een massage geven.' Anne heeft morgen een afspraak. Of ze nu een dag eerder komt, maakt ook niet zo veel uit. Anne, die intussen wat gekalmeerd is, besluit meteen haar spullen te pakken en naar mij toe te komen.
'Goed, dan maak ik de logeerkamer in orde. Wanneer je hier bent, zorg ik ervoor dat er iets te eten is, en dan zien we wel verder.'
In spanning wacht ik totdat Anne bij me is. Dat kan wel even duren in verband met de avondspits. Om de tijd te doden neem ik een duik in mijn vriezer. Na die valpartij in het donker en dankzij de goede zorgen van Linda ben ik veel beter op mijn eetgewoonten gaan letten. Ik zorg er nu voor dat er voldoende maaltijden in voorraad zijn. Dat komt nu goed van pas. Ik pak er pizza's uit en maak er een salade bij klaar. Tevreden kijk ik naar het eindresultaat. Door het klaarmaken van het eten heb ik niet zo op de tijd gelet en het heeft ook mijn gedachten verzet. Ik weet maar al te goed wat Anne nu doormaakt. Dan gaat de deurbel.
'Dag, Anne. Kom maar snel naar boven,' begroet ik haar via de intercom.
Wanneer ze boven is, spreid ik mijn armen wijd open.
Haar weekendtas laat ze vallen, en snikkend stort ze zich om mijn hals.
Ik voel me net een moeder die haar kind troost na een valpartij.
Wanneer Anne enigszins tot bedaren is gekomen, vertelt ze het hele verhaal opnieuw.
De bel van mijn oven geeft aan dat de pizza's klaar zijn. De tafel had ik al gedekt, en we kunnen zo aanschuiven.
Ondanks haar zenuwen en angst eet Anne met smaak, vooral de salade.
Met een glimlach kijk ik toe. Ik laat haar overigens geen minuut in spanning. Na de afwas gaan we meteen naar mijn praktijkruimte. Voorzichtig betast ik haar borsten, en ik onderzoek haar grondig.
Vol verwachting kijkt Anne mij aan. 'Ik weet het niet. Ik kan er geen zinnig woord over zeggen.'
Zwijgend kleedt Anne zich weer aan. 'Echt niet, Else-Marie?' hoor ik haar smekend vragen.
Ik schud mijn hoofd. 'Ik ben geen arts,' breng ik haar voorzichtig

in herinnering. 'Het beste is dat je maandag zo snel mogelijk naar je huisarts gaat.'
Anne knikt.
Bemoedigend sla ik een arm om haar heen. 'Het is belangrijk dat je er snel bij bent. Mocht het toch foute boel zijn, dan zijn je overlevingskansen ook groter. Daar moeten we niet van uitgaan. Voor hetzelfde geld zijn het inderdaad bindweefselknobbels.'
Intussen zijn we weer naar boven gegaan.
Anne ploft op de bank neer. 'Dan zal ik nog even geduld moeten hebben.'
Er zit niets anders op. Ondanks de zorgen proberen we er een leuk weekend van te maken. Die zaterdag helpt Anne mij met het schoonmaken van de praktijkruimten. Ze wil Lotte niet onder ogen komen en blijft zolang boven. Wanneer ook Marianne vertrokken is, gaan we aan de slag. Met z'n tweeën is het zo gebeurd. Ik vind het leuk dat Anne er is, maar ik had ook een afspraak met Mark. Die bel ik af. Gelukkig heeft Mark alle begrip voor de situatie. Wanneer Anne en ik samen door het park lopen, vraagt ze mij naar mijn borstperikelen. Hoe oud ik was toen ik mastopathie kreeg. Hoe ik ermee ben omgegaan.
'Ik ontdekte het ook tijdens het afdrogen na een douche,' begin ik mijn verhaal. 'Ik dacht dat het om een vetknobbeltje ging en besteedde er niet zo veel aandacht aan. Toch liet het mij op een of andere manier niet los. De volgende dag waren er een paar knobbeltjes bij gekomen. Eerst mijn linkerborst, daarna mijn rechter. Ik ben meteen naar mijn huisarts gegaan.' In tegenstelling tot Anne kwam ik wel degelijk uit een risicofamilie. Mijn oma is aan kanker overleden, evenals haar broers en zussen. Ook twee zussen van mijn moeder zijn aan een vorm van kanker overleden.
Anne luistert aandachtig naar mijn verhaal. Ik vertel haar ook dat het dragen van een goede beha veel leed kan voorkomen. 'Ik droeg altijd van die goedkope dingetjes, die je zo kunt opfrommelen. Nadat de arts de diagnose had gesteld, kreeg ik als eerste raad van haar mee dat ik voortaan beugelbeha's moest dragen. In het begin had ik een bloedhekel aan die dingen. Ten eerste zijn ze behoorlijk prijzig, en ten tweede had ik het idee dat ik in een keurslijf werd geperst. Nu ben ik eraan gewend, maar ik heb die dingen wat verwenst.'

Anne lacht om mijn ontboezemingen. Op mijn vraag of ze regelmatig haar borsten op oneffenheden en knobbeltjes controleert, kijkt ze mij verbaasd aan. Nee, daar heeft ze nog nooit aan gedacht.
Wanneer Anne weer naar huis vertrokken is, breng ik verslag uit aan Mark. Hij heeft dagdienst, en dat betekent dat hij op zondagavond toch nog langs kan komen. Ik heb het niet zo laten blijken, maar ik maak mij toch zorgen over Anne. Die zorgen kan ik alleen delen met Mark.
Maandagavond krijg ik Anne aan de lijn. Ze is bij haar huisarts geweest, maar ook hij kon er niets over zeggen.
Ergens had ik dat wel verwacht.
Annes arts heeft haar voor een mammografie naar het ziekenhuis doorverwezen. Ze heeft meteen een afspraak gemaakt, maar het duurt toch nog twee dagen voordat ze er terechtkan. Ze klinkt beheerst, maar ik voel dat ze barst van de spanning. Natuurlijk houdt ze mij op de hoogte. Dan komt haar vraag: of ik niets tegen Lotte of Bob wil zeggen.
Op verontwaardigde toon antwoord ik dat wij toch vriendinnen zijn. Bovendien valt dit onder mijn beroepsgeheim.
Anne slaakt aan de andere kant van de lijn een zucht van opluchting.
'Je hebt mijn woord. Als er iets is, bel gerust. Misschien kun je er met Lies over praten?'
Dat idee wijst Anne meteen van de hand. 'Mijn moeder is nu niet in staat mij te helpen. Die heeft genoeg aan haar eigen moeilijkheden.'
Ook daar heb ik begrip voor. Toch voel ik me ergens schuldig. Ik zou willen dat ik meer voor Anne kon doen dan alleen maar een luisterend oor bieden.
De andere morgen neem ik Martine even apart, en ik zeg haar dat ze, als Anne mocht bellen, haar onmiddellijk moet doorverbinden. Martine schrijft het op een gele plakker en plakt die met een achteloos gebaar bij haar telefoontoestel.
Niet veel later komt Annet triomfantelijk met het papiertje de keuken in gestormd. Haar ogen spuwen vuur. 'Wat heeft dit te betekenen? Ik eis uitleg.'

Ik kijk haar verwonderd aan. Ik begrijp niet waar ze het over heeft. Annet wappert opgewonden met het papiertje voor mijn neus. 'Waarom Anne meteen doorverbinden.' Het komt eruit als een snauw.
'Dat kan ik je niet zeggen. Dat is iets tussen Anne en mij.'
Een moment is Annet verbluft. Dan lacht ze hatelijk. 'Dan loop ik nu naar je dossierkast en haal ik haar gegevens eruit.'
Zo nonchalant mogelijk haal ik mijn schouders op. 'Je doet maar wat je niet laten kunt.' Annet kan mij niets maken. Zolang nog geen arts een diagnose heeft gesteld, kan ik geen begin maken met een behandeling. Ik heb dus ook nog niets in het dossier van Anne geschreven. Aan de andere kant overvalt mij een soort van droefheid. Moet dit nu echt op deze manier?
Even later komt Annet met een opgewonden kleur binnenstormen met het dossier van Anne in haar handen. Met een triomfantelijke glimlach opent ze het, maar dan bevriest haar lach. 'Er staat niets in,' zegt ze op verontwaardigde toon.
Ik schud mijn hoofd. 'Dit is privé, Annet, en zoals het woord al zegt, dit gaat je niets aan. Dit heeft niets met onze praktijk te maken.'
Annet weet niet hoe ze het heeft. Dit alles neemt een wending die ze niet verwacht heeft.
Ik besluit niets meer te zeggen.

Een paar dagen later wordt er op een avond weer gebeld. Mark heeft avonddienst. Die kan het dus niet zijn. Mijn gevoel zegt dat het Bob is.
Inderdaad komt die met een ernstig gezicht mijn appartement binnen.
Anne, is mijn eerste gedachte. Ik heb weer eens gelijk.
Wanneer Bob heeft plaatsgenomen, steekt hij meteen van wal. Wat er met Anne aan de hand is, is zijn vraag. Hij maakt zich vreselijk zorgen. Niet alleen hij, maar ook Lies. Allebei hebben ze gevraagd wat er was, en of ze iets voor haar konden doen. 'Ze wil er niet over praten, kregen we allebei te horen,' eindigt Bob zijn verhaal. 'Kun jij ons verder helpen, Else-Marie?' vraagt hij, en hij kijkt me smekend aan.

Ik heb medelijden met hem. Tegenover mij zit een ongeruste vader die het beste voorheeft met zijn dochter. Maar ik heb Anne mijn woord gegeven, en daar houd ik mij aan. Ik leg mijn hand op die van Bob. 'Ik kan het je niet zeggen, Bob. Anne heeft mij in vertrouwen genomen over een persoonlijke kwestie, en dat vertrouwen wil ik niet beschamen.'
Bob knikt berustend. 'Ik vraag je alleen, Bob, laat haar nu maar even. Wacht totdat ze naar je toe komt, of naar Lies. Maar wanneer ze komt, zorg er dan voor dat je er voor haar bent. Dan zal ze je zorg en liefde hard nodig hebben.'
Weer die berustende blik in zijn ogen. De pretlichtjes zijn verdwenen. De angst overheerst. Het valt mij op dat Bob ineens jaren ouder is geworden.
Wanneer hij ten slotte naar huis terugkeert, kijk ik hem in de deuropening lang na.
Ondanks Lies' eigen problemen heeft zij gemerkt dat er iets met Anne aan de hand was. Dat is een positief teken, maar of Anne daar ook zo over denkt, is nog de vraag.

Het wordt de langste week in mijn leven. Iedere avond bel ik met Anne om haar moed in te spreken. Het is de eerst keer dat Anne een mammografie moet ondergaan. Ik bereid haar erop voor dat het beslist geen pretje is. 'Het voelt alsof je borst afgeklemd wordt.' Ik stel voor dat er iemand met haar meegaat, maar ook van die gedachte gruwt ze. Ze wil er zo min mogelijk ruchtbaarheid aan geven.
'Je bent zo koppig als een ezel,' zeg ik lachend, maar met een serieuze ondertoon in mijn stem.
'Dat moet jij nodig zeggen,' antwoordt Anne spottend. 'Wij kunnen het niet voor niets zo goed met elkaar vinden.'
Wat moet je daarop nu antwoorden? Niets dus.
Toch ben ik blij wanneer Anne een aantal dagen later belt dat de uitslag goed is, althans dat de diagnose mastopathie officieel is vastgesteld. Ze kreeg hetzelfde te horen als ik een paar jaar geleden.
'Ik zal ermee moeten leren leven,' zegt ze zo opgeruimd mogelijk. 'Op mijn vraag of ik daar een recept voor mee kon krijgen, wist

de arts niets te zeggen.' Nu kan ik haar wel helpen. Heeft Anne weleens van een borstonderzoek gehoord?
'Ik heb een foldertje meegekregen,' is het aarzelende antwoord. Ze vertelt dat ze het meteen zelf heeft geprobeerd. Ze vond het doodeng al die knobbeltjes. Daar weet ik wel raad op. De eerstvolgende keer dat ze voor massage bij me komt, zal ik het haar leren. Ik druk haar wel op het hart nu open kaart te spelen. Dan vertel ik haar over het bezoek van Bob en over de ongerustheid van haar ouders.
Anne belooft duidelijkheid te verschaffen.
Met een glimlach leg ik de hoorn op de haak.
Niet lang daarna komt Bob tijdens de lunch ineens binnenvallen. Hij heeft zijn handen achter zijn rug en kijkt iedereen met een geheimzinnige lach aan.
Annet gaat staan en slaat van verrukking de handen voor haar mond. 'O, Bob, wat een mooie plantenbak. Is die voor mij?' Ze wacht zijn antwoord niet af en wil de bak uit zijn handen nemen.
'Nee, nee,' antwoordt Bob gehaast, en hij zet de plantenbak op tafel neer.
Iedereen kijkt Bob verbaasd aan.
Het gezicht van Annet betrekt, en mokkend gaat ze weer zitten.
We kunnen de bak nu in volle glorie bekijken. Een zinken teiltje met voorjaarsbloemen erin. Een bont geheel van blauwe druifjes en narcissen met mos ertussen.
'Deze zijn voor jou, Else-Marie.'
Ik krijg een kleur van opwinding. 'Waarom?' stamel ik.
Bob trekt mij van de stoel en zoent mij op beide wangen. 'Dit is van Lies en mij, omdat je Anne zo goed hebt opgevangen.'
Van verlegenheid weet ik niet waar ik moet kijken. Ik kan wel zeggen: dat hadden jullie niet hoeven te doen, of meer van dat soort onzin. Het tegendeel is waar: ik ben er ontzettend blij mee. Ik zeg niets, maar de blik in mijn ogen zegt Bob genoeg. 'Loop je even met me mee?' vraag ik, en ik loop alvast vooruit naar mijn praktijkruimte. Ik sluit de deur achter ons en vraag of Bob wil gaan zitten. Zelf neem ik plaats op de rand van mijn bureau. Ik kijk Bob ernstig aan. 'Wat heeft Anne je precies verteld?'
Bob trekt zijn wenkbrauwen op, maar beantwoordt mijn vraag.

Dat het allemaal goedaardig is en niets om je zorgen over te maken. Dat is de strekking van zijn verhaal.
Voorzichtig, zoekend naar woorden, antwoord ik: 'Ik heb die aandoening ook, en ik weet heel goed wat de risico's zijn. Het gevaar is niet geweken, Bob. Er is altijd kans dat het omslaat in kanker. Heeft Anne je het percentage verteld?' Aandachtig kijk ik hem aan. Alle kleur is uit zijn gezicht verdwenen.
Bob staat op en ijsbeert door de kamer. 'Nee,' stamelt hij 'daar heeft ze het niet over gehad.'
Dat vermoedde ik al. 'Ik weet dat percentage wel,' ga ik voorzichtig verder. 'Ik kan het je niet vertellen, want dat valt onder mijn beroepsgeheim.'
Het wordt weer stil.
Bob komt naar mij toe. 'Het is dus ernstiger dan we vermoeden?' Hij kijkt mij vragend aan.
'Het is maar hoe je het bekijkt. Ik wil er alleen maar mee zeggen dat mensen er soms te licht over denken. Ik spreek immers uit ervaring. Anne moet leren omgaan met opmerkingen als 'Mens, wees blij dat het geen kanker is' en meer van dat soort goedbedoelde onzin waarmee je geen kant op kunt. Ze moet leren omgaan met de gedachte dat haar borsten nu een soort achilleshiel zijn. Als zij te veel spanning heeft, werkt dit onmiddellijk door. Ze blijft er zeker tot aan de overgang last van houden. Hoe het zich daarna ontwikkelt, kan niemand vertellen. Meestal worden de klachten dan minder. Ook bij een eventuele zwangerschap. Maar dat kan niemand voorspellen. Het kan ook in de loop van de tijd verergeren.'
Bob kijkt mij berustend aan, terwijl hij zijn hand door zijn haar haalt. Hij zwijgt. Dan knikt hij. 'Goed, ik zal Lies ook op de hoogte brengen. Ik ben blij dat je de vriendin van Anne bent. Ze is, wat dat betreft, en zeker wat de behandeling betreft, in goede handen.'
Van die laatste opmerking schrik ik. Ik kijk naar mijn handen. In gedachten zie ik bloed druipen. Er kleeft bloed aan mijn handen, onschuldig bloed van Marion. Mijn handen beginnen te beven, en weer komen die vervelende tranen.
In twee stappen is Bob bij me, en tegen zijn borst laat ik de tranen

maar gaan. 'Ik zou het voor iedereen hebben gedaan,' probeer ik mijzelf te verdedigen.
Bob trapt erin. 'Wat leef jij met je cliënten mee,' is alles wat hij zegt. Deze keer heb ik zijn zakdoek niet nodig. Op mijn bureau staat een doos tissues, en daar kun je ook prima je neus in snuiten. Wanneer ik weer wat gekalmeerd ben, lopen we samen terug naar de keuken. Daar zijn ze al aan het opruimen, want het is bijna weer tijd om aan het werk te gaan.
Bob neemt afscheid van Annet en gaat er snel vandoor.
Ik loop met de plantenbak naar de balie. 'Daar mag jij de rest van de middag van genieten,' zeg ik tegen Martine. Ze kijkt me lachend aan.
Annet komt de keuken uit. Ze loopt, nog steeds met een gezicht als een oorwurm, langs ons heen. De deur van haar praktijkruimte slaat ze met een klap achter zich dicht.
Ongemerkt zucht ik eens, en ik schud mijn hoofd.
'Is Annet altijd zo geweest?' vraagt Martine voorzichtig terwijl ze het teiltje van mij overneemt.
'Tijdens de opleiding hadden we de grootste pret met z'n drieën. Daar is nu weinig van overgebleven.'
Martine kijkt me aan alsof ze water ziet branden. Pret met Annet? Ze kan het zich niet voorstellen, antwoordt ze met een schuldbewuste blik in haar ogen.
'Maak je maar geen zorgen,' spreek ik haar moederlijk toe. 'Je zult zien, vanavond maakt ze het weer goed met Bob.'
'Zou je denken?' vraagt Martine op een toon die verraadt dat zij zo haar twijfels heeft.
'Natuurlijk,' antwoord ik terwijl ik haar veelbetekenend aankijk. 'Op de ouderwetse manier, Martine.'
Martine heeft het niet meer. 'Pret in bed met Annet?' Ze kijkt me met een vies gezicht aan, alsof ze zich daar helemaal niets bij kan voorstellen.
Ik ook niet, overigens, maar deze gedachte houd ik wijselijk voor me. Ik verdedig Annet zelfs: 'Ze zal thuis wel een andere persoonlijkheid zijn. Anders was Bob niet op haar gevallen.' Martine werpt mij een blik toe waaruit een andere mening spreekt. Ze is nog steeds niet overtuigd.

Aan het eind van de middag is de boze bui van Annet nog niet overgewaaid. Op grimmige toon zegt ze: 'Tot morgen, allemaal,' en weg is ze.
Martine en ik wisselen een blik van verstandhouding.
De volgende morgen is Annet laat. De werkbespreking is al voorbij.
Ik sta bij de balie met Martine mijn agenda door te nemen.
Dan komt Annet binnen. Er kan nog net een 'goedemorgen' af, en ze mompelt iets van een file.
Wanneer ze buiten gehoorsafstand is, zegt Martine: 'Volgens mij heb je je vergist.'
Ernstig kijk ik haar aan. 'Ik weet het. Als ik het zo bekijk, was het gisteravond geen pret in bed.'
Wanneer ik naar mijn praktijkruimte loop, klinkt de klaterende lach van Martine nog na in mijn oren.

HOOFDSTUK 18

Op een woensdagavond word ik overvallen door een gevoel van melancholie. Ik ben bij Mark thuis, en hij rommelt wat in zijn keuken. De geur van koffie komt me tegemoet. Ik hoor aan het open- en dichtslaan van de keukenkastjes dat er ook aan thee wordt gewerkt. Het beeld van Marion doemt weer op. Ik zucht eens diep. Hoelang kan ik het nog volhouden, is de vraag die ik mezelf steeds vaker stel. Ik zal het toch eens aan Mark moeten vertellen. Hoe begin je zoiets? Hoe zal Mark het opnemen? Heeft onze relatie dan nog wel toekomst? Op al deze vragen zou ik graag een antwoord willen hebben, en ik kan er niet één beantwoorden. Ik ben zo in gedachten verzonken, dat ik schrik wanneer Mark met koffie en thee voor mijn neus staat.
'Zo, jij was ver weg.'
Ik kijk naar hem op, en er komt een flauwe glimlach om mijn lippen. 'Het was ook een vermoeiende dag,' verontschuldig ik me.
Mark kijkt mij oplettend aan, maar zegt verder niets.
Ik kruip tegen hem aan en sluit mijn ogen. Ik hoor zijn hartslag, hoe rustig en kalm die klinkt. 'Ik zou zo in slaap kunnen vallen,' zeg ik lachend.
'Ga je gang,' bromt hij in mijn oor.
Dat laat ik mij geen twee keer zeggen, en ik doezel een beetje weg. Dan schrik ik plotseling van de bel, die hard en doordringend gaat.
'Blijven liggen. We laten hem gewoon gaan,' klinkt de stem van Mark. 'Vast en zeker een collecte. Dan komen ze een andere keer maar terug.'
Ik kan een glimlach niet onderdrukken en houd hem stevig vast.
Weer klinkt de bel, nog doordringender dan de eerste keer.
Met moeite kom ik overeind. 'Ik ga wel. Ik heb in mijn jeugd ook een tijdje gecollecteerd. Ik weet hoe het is.'

Ook Mark komt zuchtend en steunend van zijn plaats. 'Ik zoek mijn portemonnee alvast op.'
Lachend loop ik naar de voordeur, terwijl ik over mijn schouder roep: 'Welja, pak jij je fortuin maar vast.' Nog steeds lachend open ik de deur, en tot mijn grote schrik sta ik oog in oog met Mariëtte Touw.
Stomverbaasd kijken we elkaar aan.
Ik mompel een groet, terwijl zij mij zwijgend opneemt.
Zij kijkt mij aan met een blik van: ik heb je eerder ontmoet, maar ik weet niet zo één-twee-drie waar. Ik ben niet van plan haar wijzer te maken. 'Goedenavond,' begint ze, terwijl ze een stap achteruit doet. Ze fronst haar wenkbrauwen terwijl ze naar het nummer- en naambordje kijkt. 'Hier woont toch Mark van der Klooster? Of heb ik mij vergist?'
Ik schud mijn hoofd. 'Dit is inderdaad het huis van Mark.' Ik zeg het op een normale toon, maar mijn hart gaat als een razende tekeer. Wat wil zij van hem? Na een aantal succesvolle zaken op haar naam te hebben geschreven heeft zij promotie gemaakt. Mariëtte mag zich nu hoofdrechercheur noemen. Dat heeft Mark mij verteld toen ik een tijdje geleden, langs mijn neus weg, naar haar vroeg.
Er valt een ongemakkelijke stilte.
Dan hoor ik de binnendeur opengaan. Ik draai mij half om.
Mark trekt de deur achter zich dicht en graait in zijn portemonnee. 'Voor welke collecte is het: het Reumafonds of Jantje Beton?' Dan kijkt hij op en ziet Mariëtte staan. Zijn blik wordt hard en koud.
Ik schrik ervan. Zo heb ik Mark nog nooit meegemaakt.
Hij komt naar me toe en slaat een arm om mij heen.
Ik wil naar de kamer teruggaan, maar hij houdt mij stevig bij mijn schouder vast. 'Dag, Mariëtte. Wat brengt jou hierheen?' Het komt er onvriendelijk uit.
Het lijkt Mariëtte niet te storen. Zij kijkt Mark met een stralende lach aan en antwoordt: 'Ik was toevallig in de buurt en ik wilde graag een kopje koffie met je drinken.'
Het ligt er wel duimendik bovenop. Helemaal uit Amsterdam, en dan toevallig in de buurt zijn. Ik kijk verlegen naar mijn blote voe-

ten. De greep van Mark om mijn schouder wordt steeds steviger.
'Zoals je ziet, heb ik andere dingen aan mijn hoofd. Overigens, we hebben net koffie gedronken.'
Ik voel haar priemende blik op mij gericht. 'Ik laat jullie even alleen,' weet ik nog net uit te brengen, en ik maak me los. Voorzichtig trek ik de binnendeur achter mij dicht.
Het duurt niet lang of Mark komt ook weer binnen.
'Hadden we haar misschien toch binnen moeten vragen?' Aarzelend kijk ik hem aan.
De pretlichtjes in zijn ogen komen terug. Mark gaat voor me op zijn knieën zitten en neemt mijn kin tussen zijn handen. 'Ze komt wel uit Amsterdam, en dan heb je, denk ik, wel trek in koffie.' De bulderende lach van Mark klinkt door de kamer. Dan wordt hij ernstig, terwijl hij zegt: 'Else-Marie, als je van mij af wilt, moet je het gewoon zeggen en mij niet opschepen met een vrouw als Mariëtte.'
Ik sputter tegen. 'Ik wil helemaal niet van je af, maar ja, gastvrijheid.' Ik wil nog meer zeggen, maar krijg er de kans niet voor.
Mark neemt mij in zijn armen en zoekt mijn mond. 'Ik wil haar naam niet meer horen. Ik heb haar verteld dat ik heel gelukkig ben met mijn Else-Marie, en dat zij mij niet meer lastig moet vallen.'
Toch laat het gebeurde mij niet los. De rest van de avond ben ik er dan ook met mijn gedachten niet bij.
'Wat zit je nu dwars?' vraagt Mark op een gegeven moment aan mij.
'Jaloezie, vermoed ik.' Dan vertel ik alles. Dat Mariëtte een mooie vrouw is, met hersenen en schoonheid. Een combinatie die toch niet zo vaak voorkomt. Ja, dat ik bang ben dat ik Mark toch aan haar zal moeten afstaan. Na afloop van mijn verhaal kijk ik hem ongelukkig aan.
Mark heeft al die tijd aandachtig geluisterd en schudt nu zijn hoofd. 'Mijn liefste, je weet toch dat er voor mij maar één vrouw bestaat, en die heet geen Mariëtte Touw, hoor. Geef ik je aanleiding om mij toch niet te vertrouwen?'
Nu is het mijn beurt om mijn hoofd te schudden. Ik streel zijn blonde krullen, terwijl ik met zachte stem zeg: 'Je bent een uniek exemplaar, en ja, ik ben bang je kwijt te raken.'

Er valt een stilte.
De tranen springen in mijn ogen. Ik wil ze wegwrijven, maar Mark is mij net voor.
Hij wrijft ze niet weg, nee, hij *kust* ze weg, heel teder. 'Je raakt mij niet kwijt.'
Door mijn tranen heen kijk ik hem aan. Wat houd ik toch zielsveel van deze man. Ik klem mijzelf aan Mark vast alsof ik hem nooit meer wil loslaten. Kon ik zijn woorden maar geloven. Kon ik maar geloven in een toekomst voor ons beiden.
Die nacht kan ik niet in slaap komen. Ik draai mij van mijn ene zij op de andere, en dan weer lig ik naar het plafond te staren. Mark draait zich ineens om, en de slaapkamer wordt zacht verlicht. Hij heeft een schemerlampje aangedaan.
Ik knipper tegen het gedempte licht. 'Zo, en nu vertellen wat er aan de hand is.'
Ik draai me om en kijk hem aan. 'Ik durf het niet,' antwoord ik zachtjes. Met een schuldbewuste blik kijk ik Mark aan. Ik kan straks blijven liggen, terwijl hij op tijd bij het bureau moet zijn.
'Ik ga niet slapen voordat ik alles weet.' Mark kijkt mij onderzoekend aan.
Ik krijg het warm. 'Ik kan het niet, Mark,' kreun ik zachtjes. 'Ik ben zo bang dat je, wanneer je alles van mij weet, niets meer met mij te maken wilt hebben.'
'Een reden te meer om het mij te vertellen, dacht ik zo,' is het nuchtere antwoord. 'Het vreet aan je. Je denkt wel dat ik het niet merk, maar dat doe ik dus wel. Wij gaan nu naar beneden, en je vertelt het. Er drukt een last op je schouders, en ik wil nu weten wat er aan de hand is.' De laatste woorden heeft Mark op een dwingende toon gezegd.
Ik weet dat ik het niet langer kan verbergen. Daarom knik ik maar. Wanneer we samen op de bank zitten, smeek ik Mark of hij mij wil vasthouden.
Mark doet wat ik vraag en streelt mijn haar.
Ik laat mijn tranen de vrije loop. Alles komt eruit. De keren dat ik Marion heb behandeld, dat ik haar ten slotte heb vermoord en hoe ik haar lichaam heb laten verdwijnen.
Mark luistert zwijgend naar mijn verhaal. Geen enkele keer valt

hij mij in de rede. Ondertussen blijft hij mijn haar strelen. Wanneer ten slotte mijn snikken bedaart, neemt hij het woord. 'Dus dat was je geheim. Aan de ene kant ben ik blij dat je het mij hebt verteld. Aan de andere kant hebben wij er dus een groot probleem bij.'
Dankbaar kijk ik hem aan. Mark heeft het nog steeds over 'wij', en dat geeft mij toch wat moed.
'Wat moet ik nu doen?' is de vraag die ik hem stel.
Mark slaakt een diepe zucht. 'Ik weet het niet. Als politieman zeg ik: geef je aan. Als mens en vooral als je man... Mijn hart spreekt een andere taal.' Hier houdt hij op.
Ook ik weet niet wat ik moet zeggen.
Na een tijdje gaat Mark verder. 'Er zijn natuurlijk verzachtende omstandigheden aan te voeren, maar ik ben geen rechter.'
Ik val hem in de rede. 'Kijk eens naar mijn handen. Er kleeft bloed aan, onschuldig bloed.'
Mark schudt zijn hoofd. 'Ik zie het anders. Jij bent geen seriemoordenaar. Het feit dat je last kreeg van je geweten, zegt mij al genoeg. Anders had je er nooit zo onder geleden. Jouw handen, Else-Marie, zijn de liefste en zachtste handen die ik ooit heb gezien.'
Met stijgende verwondering kijk ik hem aan. 'Weet je wel hoe liefdevol deze handen voor mij zijn geweest? Hoe vol tederheid ze door mijn krullen hebben gewoeld? Mij hebben gemasseerd wanneer ik weer eens last had van zere schouders? Mij liefdevol langs mijn gezicht hebben gestreeld? Plagend door mijn borsthaar? Ik keur niet goed wat je gedaan hebt, beslist niet, maar ik denk dat het meer een ongelukkige samenloop van omstandigheden geweest is. Maar wees van één ding verzekerd: mijn liefde voor jou. Ik laat je niet alleen.'
Weer laat ik mijn tranen de vrije loop.
Met nog steeds dezelfde tederheid als de avond tevoren kust Mark ze weg.
Ik ben doodmoe na al deze emotionele inspanningen. Het heeft mij opgelucht dat ik alles heb verteld, en op dat moment zie ik heel helder de weg die ik moet inslaan. Dat zeg ik ook tegen Mark.
'Kom, we gaan terug naar bed. Dan kunnen we nog een paar uur slapen. Wanneer mijn dienst erop zit, praten we verder.'

Met een gerust hart pak ik zijn hand, en ik knijp erin. Wat er ook gebeurt, en hoe het ook zal aflopen, Mark laat mij niet vallen. Eenmaal in bed kruip ik rustig tegen hem aan, en ik hoor weer zijn kalme hartslag. Dit is het laatste wat tot mij doordringt voordat ik in slaap val.

Mark houdt mij nog steeds vast en streelt mijn haar. Daar word ik ook wakker door. Slaperig kijk ik Mark aan, die lachend voor het bed zit. 'Je lag zo lekker te slapen. Ik wilde je niet wakker maken.'

Met een liefdevolle blik kijk ik hem aan. 'Ik ben blij dat je me niet in de steek laat,' antwoord ik nog slaapdronken.

'In de steek laten? Waarom zou ik?' Mark kijkt mij verwonderd aan.

Ik val weer bijna in slaap, en ik kan nog net uitbrengen: 'Om wat ik je vannacht heb verteld.'

Het blijft stil, te stil naar mijn zin, en in mijn hoofd rinkelen allerlei alarmbellen. Ik ben meteen klaarwakker.

Mark kijkt me nog steeds verwonderd aan. 'Vannacht? We hebben geslapen als een roos. Ik ben geen seconde wakker geweest.'

Dan dringt de afschuwelijke waarheid tot mij door. Het gesprek heeft nooit plaatsgevonden. Het was maar een droom. De nachtmerrie duurt nog steeds voort. Nogmaals sluit ik mijn ogen, terwijl ik vecht tegen opkomende tranen.

Mark denkt dat ik weer in slaap dreig te vallen.

Ik laat hem maar in die waan.

Hij fluistert in mijn oor dat hij een ontbijt voor me heeft klaargemaakt.

Zachtjes mompel ik een dankjewel.

Wanneer Mark goed en wel is vertrokken, kom ik uit bed. Onder de douche laat ik mijn tranen de vrije loop. Het was maar een droom, een droom, klinkt het in mijn hoofd op het ritme van de stralen. Wanneer ik later in de keuken mijn ontbijt zie staan, overvalt mij dat gevoel weer. Ik heb geen honger, maar Mark heeft dit met zo veel aandacht en liefde voor mij klaargemaakt. Ik kan het niet over mijn hart verkrijgen er niets van te nemen. Met tegenzin smeer ik een beschuitje. Ik kijk naar buiten. Het belooft een stralende dag te worden, maar ik voel me ongelukkiger dan ooit.

HOOFDSTUK 19

De zomer nadert. Mark en ik willen samen op vakantie. We maken plannen voor een sportieve, maar ook ontspannende vakantie in Nederland. Wanneer we echter de agenda's erbij pakken en iets definitief willen plannen, komen er problemen. Mark heeft zijn vakantie al in januari moeten doorgeven. Omdat hij vrijgezel is, laat hij zijn collega's met kinderen altijd voorgaan. Mark heeft dus vakantie in september. Wij sluiten *Iris* twee weken in de schoolvakanties om Yvonne in de gelegenheid te stellen bij haar kinderen te zijn. We komen er niet uit. Ik kan niet in september, Mark niet in augustus.
'Kun je misschien ruilen met Marianne?' vraag ik wanhopig.
Mark schudt zijn hoofd. 'Zij gaat nog later dan ik.'
Ik kan mijn teleurstelling niet verbergen. 'Verleden jaar ben ik ook niet geweest, het jaar ervóór ook niet vanwege de verhuizing,' mopper ik. 'Nu heb ik zin om samen met jou weg te gaan, en dan lukt het weer niet.'
Mark lacht. 'Dan zul je een andere oplossing moeten verzinnen. Iets met Lotte of Anne misschien?'
'Ik ga toch liever met jou op stap, hoor, maar ik zal erover nadenken.'
Mark grijpt mij vast. 'Dat vind ik fijn om te horen. Dan doen we het toch volgend jaar?' Met een open blik kijkt hij mij aan, terwijl mijn hart ineenkrimpt.
Aarzelend opper ik dat het geen slecht idee is Anne of Lotte te vragen. Die avond bel ik eerst Lotte.
Ze vindt het een leuk idee, maar ze heeft haar vakantie al besproken. Ze gaat met een paar vriendinnen de Turkse kust onveilig maken. 'Probeer iets af te spreken met Anne,' geeft ook zij als advies.

Na het telefoongesprek met Lotte probeer ik meteen Anne te bereiken. Ik krijg haar antwoordapparaat en spreek een boodschap in. Later die avond belt ze terug. Stom, ik was vergeten dat woensdagavond de wekelijkse sportavond van Anne is.
Wanneer ik haar over mijn vakantieplannen vertel, is ze meteen enthousiast. 'Wat een leuk idee.'
Ik hoor de opgewonden toon in haar stem. Anne blijkt nog geen plannen gemaakt te hebben. Zij zat er ook een beetje mee in haar maag. Ze wilde wel op vakantie, graag zelfs, maar niet alleen.
'Ik leefde in de veronderstelling dat je met Mark wegging. Anders had ik je wel eerder gebeld,' zegt Anne verlegen.
De volgende dag heb ik alle tijd om een bezoekje te brengen aan het reisbureau. Gewapend met een aantal folders keer ik naar huis terug.
We besluiten een fietstocht door Drenthe te maken. Dat betekent wel iedere dag zo'n zestig tot zeventig kilometer op de pedalen. We fietsen van hotel naar hotel, en onze bagage wordt achternagebracht. Bij ieder hotel wordt een lunchpakket klaargemaakt, dus daar hoeven we ons ook geen zorgen over te maken. Fietsen is nog steeds de ideale manier om Drenthe te leren kennen. Op de fiets komen we langs alle mooie plekjes en bezienswaardigheden die deze provincie rijk is.
Mark is blij dat het me gelukt is dit jaar toch op vakantie te gaan. Op mijn vraag hoe hij van plan is zijn twee weken door te brengen, kijkt hij mij lachend aan. Hij heeft nogal wat onderhoudsklussen in en rondom zijn huis te doen. Daar krijgt hij nu mooi de gelegenheid voor.
Anne heeft gevraagd of ik wil boeken, en de donderdag erna bezoek ik voor de tweede keer het reisbureau. Met een tevreden gevoel trek ik een uurtje later de deur achter mij dicht. Op naar het land van Bartje!
Natuurlijk worden onze vakantieplannen uitvoerig besproken bij *Iris*.
Martine gaat met Jurgen naar Zeeland. Blij verrast reageer ik wanneer ze vertelt dat ze mijn eiland aandoen. Ze gaan met de tent van camping naar camping. Ik kan niet nalaten Martine een aantal bezienswaardigheden door te geven die ze absoluut niet

mag missen. Deze plekjes vind je niet in de gidsen. Dankbaar maakt Martine gebruik van deze informatie.
Yvonne en Linda slaan dit jaar over. Yvonne is van plan er een werkvakantie van te maken. 'Linda wil al heel lang een kippenhok, en dus staat dat op het programma,' vertelt Yvonne lachend. 'Ik heb al een ontwerp in mijn hoofd.' De tekeningen zijn klaar en het materiaal is besteld.
Annet vertrekt met Bob naar Zuid-Frankrijk, naar Saint Tropéz om precies te zijn. Ze hebben daar een appartement gehuurd en willen diverse uitstapjes in de omgeving maken. Ook staat er een bezoek aan Monaco op het programma.
'Zul je niet al je vakantiegeld vergokken?' Guitig kijk ik haar aan. Annet wil woedend uitvallen, maar ze beheerst zich. Onverschillig haalt ze haar schouders op.
'Laat je toch niet zo op de kast jagen,' zegt Yvonne.
Iedereen lacht. De enige die er de humor niet van inziet, is Annet.

Eindelijk is het zover. Vakantie. Heerlijk, al vind ik het wel moeilijk afscheid te nemen van Mark. Hij brengt mij weg naar het Centraal Station. Anne is in Amsterdam op de trein gestapt, en samen reizen we nu verder naar Assen. Daar begint onze fietstocht. De weersvoorspellingen zijn veelbelovend: niet te warm, niet te koud, en ook niet te veel wind. Kortom, ideaal fietsweer.
Mark herinnerde mij eraan dat er ook weleens een buitje kon vallen. 'Heb je dus gedacht aan een regenpak?'
Nee, en zo gaan we op een zaterdagmiddag de stad in om in een fietsenwinkel een regenpak aan te schaffen. Nu ik er toch ben, neem ik meteen maar wat spullen voor pech onderweg mee. Ik ben niet zo handig in banden plakken. Ik vertrouw op de handigheid van Anne. Gelukkig heeft Bob zijn beide dochters geleerd hoe je dit in de praktijk moet doen. Opgelucht haal ik dan ook adem wanneer Anne mij dit vertelt.
'Nee hoor, Else-Marie, maak je geen zorgen. Ik weet wat ik moet doen.'
Mark zwaait ons uit.
Ik hang met mijn halve lijf buiten het raampje, en meisjesachtig strooi ik hem kushandjes toe.

Mark schudt zijn hoofd maar eens om zo veel joligheid. Hij probeert streng te kijken, maar zijn ogen lachen.
Dan vertrekt de trein toch echt.
Mark draait zich om en loopt het perron af.
Terwijl de trein het Centraal Station verlaat, plof ik op mijn plaats neer en kijk Anne lachend aan. Het schoolreisjesgevoel van vroeger komt weer boven.
'Je houdt veel van Mark, is het niet?' Anne kijkt mij vragend aan. Ik schrik van haar opmerking, maar ik doe mijn uiterste best om dit niet te laten blijken. Ik knik dus maar en hoop dat dit afdoende is.
Anne vraagt niet verder en sluit haar ogen.
Dat geeft mij de gelegenheid om over haar opmerking na te denken. Ik houd veel van Mark, maar de laatste tijd bekruipt mij het gevoel dat hij meer van mij houdt dan ik van hem.
Anne is in slaap gevallen.
Terwijl de trein langzaam naar het noorden kruipt, denk ik nog steeds over Mark en mij na. Een triest gevoel overvalt me. Ik wil dolgraag verder met hem. Ik zou er alles voor overhebben om straks mevrouw Van der Klooster te zijn. Tijdens mijn huwelijk met Bram ben ik altijd mijn meisjesnaam blijven dragen, onder het motto van de zelfstandigheid van de vrouw. 'Bram heeft mijn naam toch ook niet aangenomen,' was altijd mijn weerwoord als men vroeg naar het waarom. Dat ik liever niet geassocieerd wilde worden met mijn schoonmoeder, met wie ik absoluut niet overweg kon, vertelde ik er niet bij. Bram maakte er geen probleem van, en ik ook niet, dus waarom een ander dan wel? 'Else-Marie van der Klooster' klinkt lang niet gek, en zo vertrouwd. Zou dit ooit werkelijkheid worden? Zou ik mijn ja-woord aan Mark kunnen geven zonder dat hij op de hoogte is van Marion van der Laan? Zou ik in staat zijn dat stuk van mijn verleden te negeren? Verder leven en vergeten dat dit ooit gebeurd is.

We zijn blij elkaar weer te zien. Opgewonden als een stelletje tieners willen we elkaar onze avonturen vertellen. Om alles in goede banen te leiden heb ik het volgende bedacht. De eerste werkdag is altijd het moeilijkst. Daarom beginnen we alsof het een normale

werkdag is. Om vijf uur, wanneer de praktijk sluit, komen we bij elkaar in de keuken. Iedereen neemt wat te eten mee, en onder het genot van een gezamenlijke maaltijd kan iedereen haar verhaal vertellen. De vakantiefoto's mogen hierbij niet ontbreken. Ook is het gewoonte elkaar een souvenir te geven.
Yvonne is als eerste aan de beurt. Met een trots gezicht geeft ze ons een doosje eieren. 'Van onze eigen kippen.' Het blijkt dat de bouw van het kippenhok geslaagd is. De kippen hebben het goed naar hun zin, zeker gezien het aantal eieren dat ze per dag leggen. 'Er gaat niets boven een kakelvers eitje,' zeg ik, en ik geniet al bij voorbaat. Er zijn zo veel mogelijkheden met eieren.
Na Yvonne is het mijn beurt. Mijn theedoek en handdoek met de beeltenis van Bartje erop valt ook in de smaak. Zelfs bij Annet tovert Bartje een glimlach om haar mond.
Annet raakt niet uitgepraat over hoe chic Saint-Tropéz in de zomer wel niet is. Toch komt haar souvenir daar niet vandaan.
Ik krijg een klein pakketje in mijn handen gestopt. Nieuwsgierig maak ik het open. Vol bewondering kijk ik naar het kleine porseleinen vaasje dat voor mij ligt, met daarop een tekening van een jonge prinses Gracia van Monaco. 'Annet, wat ben ik hier blij mee. Dank je wel.'
Annet kijkt mij verlegen aan. 'Ik heb het niet gekocht hoor,' zegt ze bijna verontschuldigend. 'Het was een idee van Bob. Volgens hem vind je prinses Gracia een bijzondere vrouw, en daarom dacht hij dat dit wel iets voor jou zou zijn.'
Bob heeft gelijk gehad. Van verrukking kan ik mijn ogen niet van het vaasje afhouden. Dit krijgt een plekje bij het servies van mijn moeder.
Martine is als laatste aan de beurt. Zij trakteert ons op de enige originele Zeeuwse babbelaars.
Ik ben meteen terug in het verleden. Mijn moeder bakte ze ook altijd. Niemand kon aan haar babbelaars tippen. Na haar overlijden heb ik ze nooit meer gegeten. Er kleven te veel herinneringen aan deze snoepjes. Ook nu moet ik moeite doen om mijn tranen tegen te houden. Door de emoties die het doosje oproept, kan ik niet zo goed uit mijn woorden komen. De warme omhelzing die Martine van mij krijgt, zegt meer dan genoeg.

HOOFDSTUK 20

Het is tijd om weer naar Zeeland te gaan. De geboortedatum van mijn vader komt in zicht, en omstreeks die datum bezoek ik altijd het graf van mijn ouders. Omdat het een lange reis is, trek ik er een dag voor uit. Al die jaren dat mijn ouders er niet meer zijn, doe ik hetzelfde. Wanneer ik in mijn geboortedorp ben gearriveerd, ga ik eerst in het enige restaurant dat er is, een kop thee drinken. Daarna ga ik naar de bloemenwinkel om een grote bos gele en witte fresia's met van dat groen ertussen te kopen. Dat was het bruidsboeket van mijn moeder. Ieder jaar, zolang ze getrouwd waren, kreeg mijn moeder op haar trouwdag van mijn vader deze bloemen. Ook nadat ze was overleden, bleef hij op hun trouwdag de gang naar haar graf maken. Deze gewoonte heb ik na zijn overlijden overgenomen.

Ik prik een zaterdag en kijk vluchtig in mijn agenda. Mark heeft dan dagdienst. Daar hoef ik mij dus niet ongerust over te maken. Ik twijfel nog of ik hem zal vragen of hij met mij mee wil. Iets in mij zegt dat ik dat niet moet doen, dat het daarvoor nog te vroeg is.

Dan vertrek ik naar Zeeland. Het is alsof de reis mij iedere keer zwaarder valt. Hoe ouder ik word, des te meer mis ik mijn ouders. Neem mijn echtscheiding. Ik had alleen Yvonne en Annet om erover te praten. Mijn collega's wilde ik niet met mijn privéproblemen lastigvallen. Mijn relatie met Mark bijvoorbeeld. Mijn ouders zouden dol op hem zijn. Vooral mijn moeder zou hem meteen in haar hart hebben gesloten. Een zucht ontsnapt uit mijn keel. Wat zouden mijn ouders een fantastische opa en oma zijn geweest. Daar ben ik zo van overtuigd. Vooral mijn vader. Niet voor niets kwamen alle buurtkinderen regelmatig om een snoepje. Lang vervlogen herinneringen komen weer boven. Dat mijn moeder regel-

matig met de vraag kwam wanneer Bram en ik eens aan kinderen begonnen. Ik hield de boot af met de opmerking dat we daar nog niet aan toe waren. Ze moest eens weten, dacht ik dan in stilte. Met pijn in mijn hart bedenk ik dat ik ze nu meer dan ooit mis.
Na mijn kopje thee in het restaurant loop ik als vanouds naar de bloemenwinkel. Verwonderd blijf ik voor de etalage staan. Er prijkt een andere naam op de gevel. Wanneer ik de deur open, rinkelt er een ouderwetse winkelbel. Niet alleen een andere naam, ook een nieuwe eigenaresse die mij helpt. Misschien iemand van vroeger? Maar nee, ik hoor geen dialect, en in perfect Nederlands staat zij mij te woord. Ik loop over de markt in de richting van het kerkhof. De markt is ook niet meer wat het geweest is. In de loop der jaren werd hij steeds kleiner. Nu staan er nog maar een stuk of vier kraampjes. Alles verandert, denk ik met een triest gevoel, terwijl ik de straat naar het kerkhof insla.
Mijn dorp heeft twee begraafplaatsen. Het oude kerkhof en het nieuwe. Het nieuwe kerkhof ligt aan de rand, het oude midden in het centrum. Mijn ouders liggen begraven op het oude kerkhof. Al vroeg hadden zij twee plaatsen naast elkaar gekocht, zodat zelfs de dood hen niet zou scheiden. Het geeft mij toch een gevoel van troost. Deze twee mensen die zo zielsveel van elkaar hielden dat ze de gedachte hadden dat ze elkaar ook na dit leven zouden terugvinden.
Dan sta ik bij hun graf. Ik leg de fresia's neer, en in gedachten passeren voorvallen uit mijn jeugd. Met dankbaarheid denk ik terug aan de twee mensen die mij zo veel liefde hebben gegeven. Vlakbij het graf is een bankje, en daar rust ik even uit. Na een halfuurtje is het tijd om te gaan. Ik werp nog een laatste blik op het graf en loop dan naar het hek.
Ik ben een gewoontedier. Nu keer ik terug naar het restaurant waar ik eerder die morgen een kopje thee heb gedronken. In het begin was de zaak van een jongen die ik nog van vroeger kende. Inmiddels is het bedrijf al zo vaak van eigenaar veranderd dat ik de tel ben kwijtgeraakt. Alleen de naam is hetzelfde gebleven. Het vreemde is dat ik ook altijd hetzelfde gerecht neem.
Als laatste maak ik dan altijd nog een wandeling door het dorp. Na het overlijden van mijn vader nam ik zijn abonnement op de

regionale weekkrant over. Zo bleef ik toch op de hoogte van wat er speelde op mijn eiland. Toen de krant echter steeds vaker ongelezen bij het oud papier belandde, heb ik mijn abonnement opgezegd. Die drie of vier keer per jaar dat ik mijn dorp bezoek, zie ik wel met eigen ogen wat er veranderd is.
Als vanzelf brengen mijn voeten mij bij mijn vroegere school. Vroegere school? Ik kan mijn ogen niet geloven. Waar is mijn school gebleven? In de veronderstelling dat ik de verkeerde straat in ben gelopen, keer ik terug naar het begin. Een blik op het straatnaambordje doet mij beseffen dat ik wel degelijk juist zat. Ik loop terug met de vraag wat er met mijn school gebeurd is. Hij is afgebroken, en er is iets nieuws voor in de plaats gekomen. Aan de overkant stond ook een flatgebouw. Nou ja, een gebouw. Voor dorpse begrippen is een gebouw van twee verdiepingen al een flatgebouw. Dat ene gebouw kan ik mij nog wel herinneren. Vroeger woonden daar wat oudere mensen. Het was het voorportaal voor de bejaardenwoningen. Nu noemt men het seniorenwoningen. Als ik het zo eens bekijk, is deze benaming ook niet meer van toepassing. Aan de vensterbanken en tuintjes te zien wonen er ook jongere mensen. Een oudere man rommelt wat in zijn tuintje. Nieuwsgierig kijkt hij mij aan. Verbijstering moet op mijn gezicht te lezen zijn geweest, want hij knikt vriendelijk naar mij.
Ik houd bij hem halt en vraag: 'Meneer, komt u hiervandaan?'
De man kijkt mij olijk aan, wrijft met zijn hand door zijn stoppelige, beginnende baardje en antwoordt: 'Geboren en getogen, mevrouw.'
Ik wijs met mijn duim naar achteren. 'Hier stond vroeger toch de Ireneschool? Of vergis ik mij nu?'
De man schudt zijn hoofd. Hij heeft tijd in overvloed, zo te zien, en hij gaat er eens uitgebreid voor staan. 'Inderdaad, mevrouw, maar dat is vroeger, hè? Ze hebben een jaar geleden alles afgebroken, en nu is dit ervoor in de plaats gekomen.'
Ik kan mijn nieuwsgierigheid niet langer bedwingen. Wat is het eigenlijk voor een gebouw?
'Een zorgcentrum, noemen ze dat. Voor integratie van verstandelijk gehandicapten in de maatschappij.' De man vertelt opgewekt verder.

Ik krijg een goed idee hoe het er binnen uit moet zien. 'Woonde u hier ook al toen de school er nog stond?' is mijn volgende vraag. Hij knikt: 'Nou en of. Het was een gezellige boel, hoor. Altijd leven in de brouwerij. Af en toe vloog er wel een bal door het raam, maar ja, daar zijn het kinderen voor. Het is nu een stuk rustiger geworden.' Hij kijkt mij spijtig aan. 'Ze hebben een nieuwe school gebouwd. Hierachter hebben ze een nieuwe woonwijk uit de grond gestampt, en daar staat nu de Ireneschool.'

Ik knik maar eens. We hebben behoorlijk lang staan praten, en in die tussentijd is er geen auto langsgekomen, geen fietser of iemand die zijn hond uitlaat. Inderdaad, erg rustig. Ik neem hartelijk afscheid van hem en sla rechts af. Op naar mijn ouderlijk huis.

Een beetje opgewonden loop ik de straat in. Er woont niemand meer die ik nog van vroeger ken. De buurman van mijn vader, die een oogje in het zeil hield, is ook al overleden. Hij was de laatste oudgediende. Ik hoor mijn vader nog klagen wanneer er weer een verhuiswagen in de straat stond. De oudere garde vertrok naar de nieuwe bejaardenwoningen, alles gelijkvloers. In mijn straat is nog niets veranderd. Daar is gelukkig alles hetzelfde gebleven. In mijn ouderlijk huis wonen nog steeds dezelfde mensen die er na het overlijden van mijn vader in zijn gekomen.

Dit is het laatste onderdeel van mijn wandeling. Met een rustig gangetje loop ik terug naar de bushalte. Dan besef ik ineens dat ik niets bij me heb voor de terugreis. Geen nood, we hebben altijd nog de supermarkt in de buurt. Die ligt trouwens vlak bij de halte, dus het gaat in ene moeite door.

Dan schrik ik opnieuw. De supermarkt is opgeheven. Er komen woningen voor in de plaats, staat op een groot bord te lezen. Mijn dorp zonder supermarkt? Ik kan het me bijna niet voorstellen. Gelukkig staat er ook bij waar de nieuwe supermarkt is. Ik prent het adres in mijn hoofd en maak een lange wandeling. Ik moet aan de andere kant van het dorp zijn. Met het gevoel van 'de paden op, de lanen in' begin ik aan een fikse tocht. Nooit geweten dat mijn dorp zo uit zijn voegen gegroeid is. Ik ben doodmoe van het lopen voordat ik er ben. Om de hoek van de supermarkt ontdek ik een bushalte. Dat scheelt weer voor de terugreis.

Op dit uur van de dag is het niet meer zo druk in de supermarkt.

Lang sta ik te peinzen voor het schap met zuivel. Ik stop het een en ander in mijn winkelwagen en rijd een gangpad in.
Dan is het of mijn hart stilstaat. Een geestverschijning? Ik word wit om mijn neus, en een moment kan ik geen adem halen. Het is alsof heel de supermarkt om mij heen draait. Ik grijp mij stevig vast aan de winkelwagen, maar het is alsof mijn benen niet meer willen. Nogmaals snak ik naar adem. Nog geen vijftien passen van mij vandaan staat Marion van der Laan. Dit kan niet, hamert het in mijn hoofd. Marion is dood. Morsdood. Het zweet breekt mij uit, en met open mond blijf ik de vrouw aanstaren. Ik kom een beetje tot bedaren, maar het is alsof mijn blik is vastgeplakt aan die vrouw. Ze is het niet, kom ik tot de conclusie. Ze lijkt wel erg veel op haar, een oudere versie. Dan bedenk ik met schrik dat dit haar moeder moet zijn.
Mevrouw Van der Laan heeft niets in de gaten. Ze bekijkt aandachtig de schappen met chocolademelk.
Ik haal diep adem en probeer mij onzichtbaar te maken. Stilletjes sluip ik langs haar heen en blijf dan staan. Op het eerste gezicht bekijk ik ook aandachtig het schap, maar al mijn zintuigen staan op scherp. Ik schrik dan ook behoorlijk wanneer zij zich ineens omdraait.
Ze kijkt langs mij heen, en een flauwe glimlach komt om haar lippen. Achter mij hoor ik iemand aankomen. Een vrij gezette vrouw komt voorbij en zet haar karretje tussen mij en mevrouw Van der Laan. Opgewonden begint ze tegen haar te praten. Ik kan er niets aan doen, maar ik luister geboeid naar het gesprek tussen die twee vrouwen.
'Dag, Floor. Ik ben blij dat ik je weer eens zie. Hoe is het met je?'
Geduldig beantwoordt mevrouw Van der Laan de aan haar gestelde vraag.
Onopgemerkt kan ik haar nu observeren.
Haar gezicht verandert op slag, en er verschijnt een trieste blik in haar ogen. Ze vertelt dat heel het gezin lijdt onder de verdwijning van haar dochter. 'Vooral mijn man. Hij is zo veranderd de laatste tijd.' Haar stem sterft weg. 'Als we nu maar wisten waar ze was. Die onzekerheid is zo moordend.' De laatste zin komt er wrang uit.

Ik voel een hoogrode kleur opkomen en kijk snel de andere kant uit.
Even valt er een stilte. Dan vervolgt ze: 'Iedere keer wanneer de telefoon gaat, vrezen we het ergste. Dat we te horen krijgen dat haar lichaam ergens gevonden is. We hebben geen idee wat er gebeurd zou kunnen zijn. Geloof me, we gaan door een hel. Het duurt nu al zo lang. Toch blijven we hopen op een levensteken van Marion.'
Ik hoef niet te zien wat er gebeurt.
Ze huilt. De vrouw gaat naar haar toe en slaat een arm om haar heen.
'Mijn jongste zoon zei laatst tegen me: 'Mam, was ze maar dood en vonden ze haar lichaam. Dan kunnen we verder gaan met ons leven.' Ik schrok van zijn woorden, maar later besefte ik dat hij gelijk had. Die onzekerheid is het ergste. Dit is het ergste wat een ouder kan overkomen.'
Ik wil mijn handen voor mijn oren slaan. Ik wil dit niet horen. Bruusk draai ik mij om, waardoor de supermarkt weer voor mijn ogen begint te draaien. Een gevoel van misselijkheid komt over mij heen. Weg hier! Ik wil zo snel mogelijk naar buiten, de frisse lucht in.

Ik zit op het bankje bij de bushalte. Ik heb net de bus gemist en moet nu een halfuur wachten. Heel erg vind ik dat niet. Nu kan ik in de tussentijd een beetje tot mijzelf komen. Op deze ontmoeting had ik niet gerekend. Het peilloze verdriet dat ik in de ogen van de moeder van Marion heb gezien, laat mij geen moment los. Nooit heb ik beseft wat Marions dood voor gevolgen zou hebben voor haar familie. Ik wist niet eens dat zij nog een jongere broer had. Mevrouw Van der Laan had het over haar jongste zoon. Wie weet heeft zij nog meer kinderen. Wanhopig probeer ik in mijn geheugen te graven naar de gezinssamenstelling van Marion, maar er komt niets naar boven. Dan ineens dringt de afschuwelijke waarheid tot mij door. In mijn hoogmoed – misschien ook waanzin – heb ik gedacht dat niemand ter wereld zich zou bekommeren om de dood van Marion. Daarin heb ik mij lelijk vergist. Ik dacht dat ik de mensheid een dienst bewees. Eentje meer of minder, en dan zo iemand als Marion, wat maakt dat nu uit? Nu ben ik met mijn neus op de harde feiten gedrukt. Tijdens de terugreis naar Utrecht houden deze gedachten mij bezig.

Met een vermoeid gebaar open ik de deur. Eindelijk thuis. Ik kleed mij uit, en in mijn huisjurk neem ik plaats op de bank. Dan valt mijn oog op het antwoordapparaat. Het knippert, en eigenlijk ben ik te nieuwsgierig om te blijven zitten.
Terwijl ik de boodschappen afluister, bekruipt mij een gevoel van onbehagen. Vier keer heeft Mark gebeld, en iedere keer wordt zijn stem ongeruster van toon. Waar ik in vredesnaam uithang. Ik pak mijn agenda erbij en blader naar vandaag. Een diepe zucht ontsnapt uit mijn mond. Welja, dit kan er ook nog wel bij. In mijn haast heb ik naar de verkeerde zaterdag gekeken. Mark heeft helemaal geen weekenddienst. Hij heeft vrij. Ik kan mezelf wel voor het hoofd slaan. Maar de moed om hem te bellen en alles uit te leggen, heb ik niet meer. Ik wil nog maar één ding: mijn bed in en slapen om alles te vergeten.
Dat wordt mij echter niet gegund. In mijn dromen zie ik steeds Marion op mij af komen. Met een blik vol verwijt kijkt ze mij aan. Haar gezicht verdwijnt, en dan komt haar moeder in beeld. Dan al die handen die mij willen grijpen, handen die besmeurd zijn met bloed. Overal handen. Ik kan niet ontsnappen.
Met een luide gil word ik wakker. Het zweet staat op mijn voorhoofd. Ik lever een gevecht met mijn dekbed. Half wakker, half nog slapend klim ik uit bed. Mark, Mark, dreunt het in mijn hoofd. Met trillende vingers toets ik zijn nummer in.
Hij neemt meteen op.
Half huilend, half smekend vraag ik hem of hij meteen naar me toe wil komen.
Zijn rustige stem heeft een kalmerend effect op mij. Natuurlijk komt hij eraan.
'Nu meteen?' vraag ik nog voor de zekerheid. Weer overvalt me een huilbui. 'Die handen, die handen,' probeer ik nog uit te brengen, maar Mark heeft al neergelegd.
Hoelang het duurt, weet ik niet meer, maar ineens staat hij voor mij.

Ik ben heel blij hem te zien. Ik sla mijn armen om hem heen, en een onbedaarlijke huilbui volgt. Ik struikel over mijn woorden. Mark laat mij maar begaan. Hij troost me als een klein kind, en zo voel ik me ook. Geen enkel verwijt komt over zijn lippen. Hij begint te praten, maar waarover, dat dringt niet tot mij door. Zijn aanwezigheid alleen al is als balsem voor mijn ziel.
Ik kijk wel vreemd op wanneer hij mijn bed begint te verschonen. Ik vind het een verschrikking, en probeer het altijd zo lang mogelijk uit te stellen. Als ik zie hoe handig Mark het doet, word ik domweg jaloers. Nadat dit is gebeurd, word ik onder de douche gezet. Ik laat het maar toe. Ik ben te moe om te protesteren.
Mark droogt mij af en stopt mij, met schoon nachthemd en al, onder de wol. Hij kruipt er zelf naast, en met mijn hoofd op zijn borst val ik snel weer in slaap. Zonder nachtmerries deze keer.

Met een dof gevoel word ik een paar uur later wakker. Waar is Mark? Ik schrik, en angstig roep ik zijn naam.
Geheel overbodig, want daar verschijnt hij al in de deuropening.
'Ik ben een ontbijt voor je aan het maken. Blijf nog maar even liggen. Zo meteen krijg je roomservice.'
Ik schenk hem een dankbare glimlach. Ik hoor hem rommelen in de keuken. Het klinkt zo vertrouwd alsof het altijd zo is geweest. De tranen springen in mijn ogen.
Net op dat moment komt hij de slaapkamer binnen met een blad. Driftig boen ik mijn tranen weg. Ik voel de oplettende blik van Mark, maar zeg niets. Het is een heerlijk ontbijt. Nu pas besef ik wat een trek ik heb. Bibberig kijk ik Mark aan, en ik lees de bezorgdheid in zijn ogen.
'Vertel het maar,' zegt hij zacht.
'Ik voel me zo'n kluns,' begin ik. 'Ik ben gisteren naar Zeeland geweest, om het graf van mijn ouders te bezoeken.' Dan volgt met horten en stoten het hele verhaal. Over de ontmoeting met de moeder van Marion rep ik met geen woord.
'Je had het me toch kunnen vertellen?'
Ik hoor het stille verwijt in zijn stem. 'Het kwam ineens in mij op. Omdat ik dacht dat jij weekenddienst had, en we niets hadden afgesproken.'

'Het heeft je wel aangegrepen,' vervolgt Mark zijn verhaal. 'Je sprak wartaal. Ik kon er geen touw aan vastknopen.'
Beschaamd kijk ik naar mijn handen. O nee, niet mijn handen. Snel kijk ik de andere kant op. 'Ik weet het allemaal niet meer, Mark. Jaren achtereen heb ik dit alleen gedaan. Ik heb er geen moment bij stilgestaan dat jij weleens met me mee zou willen.' De zoveelste leugen.
Mark kijkt mij verbaasd aan. 'En Bram dan? Ging die niet met je mee?'
Ik schud mijn hoofd. 'De verhouding tussen mijn ouders en Bram was niet wat je noemt je van het.' Ik laat mij terugvallen in de kussens. Met mijn ogen gesloten vertel ik verder. Dat mijn ouders Bram altijd het gevoel hebben gegeven dat hij van harte welkom was. Andersom was het niet zo. Bram keek op hen neer. Zij waren niet zoals zijn ouders, en daarom kwam hij ook niet vaak bij ons thuis. Mijn vader hield van voetbal, Bram niet. Mijn ouders waren dol op lezen en kruiswoordpuzzels oplossen, Bram niet. Kortom, veel gespreksstof hadden ze niet. Bram hield niet van het buitenleven. Hij was op en top een stadsmens. Ik besluit mijn verhaal: 'Altijd wanneer we naar Zeeland gingen, had ik het idee: ik ga naar huis. Bram vond het een verplichting. Zeker na de dood van mijn moeder.'
Mark luistert nog steeds aandachtig.
'Mijn vader kon niet verder leven. Hij probeerde wel de draad weer op te pakken, maar het is hem niet gelukt. Ze waren ook altijd samen: zag je de één, dan was daar ook de ander. Een tweeeenheid, en daar kwam niemand tussen.' Ik glimlach bij de herinnering. 'Vrienden of kennissen hadden ze niet, ze hadden genoeg aan elkaar.' Ik zucht. 'Ineens stond mijn vader er alleen voor. Gelukkig had hij een buurman die ook alleen was, en die hield een oogje in het zeil. Ik probeerde zo vaak mogelijk naar mijn vader toe te gaan. Ik belde iedere dag, maar voor vervoer was ik toch afhankelijk van Bram. Wat had ik toen een reuze spijt dat ik mijn rijbewijs nooit heb gehaald. Met de bus deed ik er toch zo'n dik anderhalf uur over.'
Het praten heeft mij vermoeid.
Ik voel de hand van Mark op die van mij. Ik wil toch verder gaan

met mijn verhaal. Ik vertel dat mijn vader mijn moeder niet lang heeft overleefd. Ongeveer twee jaar na haar dood is ook hij overleden. De buurman heeft hem gevonden, levenloos in zijn bed. Met een glimlach om zijn mond. 'In de laatste ogenblikken van zijn leven waren zijn gedachten bij mijn moeder. Daar ben ik van overtuigd.' Ik kijk Mark aan.

Hij houdt nog steeds mijn hand vast.

Mark heeft een ernstige blik in zijn ogen. 'Misschien waren zijn gedachten ook wel bij jou.'

Verwonderd kijk ik Mark aan. Daar heb ik nog nooit bij stilgestaan. De tranen springen in mijn ogen bij die gedachte.

Troostend slaat Mark een arm om mij heen. 'De eerstvolgende keer ga ik met je mee,' is alles wat hij zegt.

Ik knik alleen maar.

We maken er voor het overige een rustige zondag van.

Mark heeft alle begrip voor mijn gelatenheid, en legt me in de watten.

Ik laat hem maar begaan. Met mijn gedachten ben ik soms mijlen ver weg. Het gezicht van de moeder van Marion staat op mijn netvlies gebrand. Steeds moet ik aan haar woorden denken.

Daar blijft het niet bij. Dit was de eerste nachtmerrie. Waarvoor ik zo bang was, werd werkelijkheid. Ik kreeg steeds vaker last van nachtmerries. Ze hadden allemaal hetzelfde verloop. Ik bevind mij in een donkere ruimte. Het is er zo donker dat ik geen hand voor ogen zie, net als in een nacht zonder maan of sterren. De stilte is drukkend. Een grote angst overvalt me. Ik wil weg van hier, zo snel mogelijk. Alleen weet ik niet waarheen. Omdat de angst steeds groter wordt, en de stilte drukkender, zet ik het op een rennen. Ik struikel en wil opstaan. Ik weet niet waar ze vandaan komen, maar dan zijn ze er ineens. Tientallen handen die mij willen vastpakken en mij niet meer loslaten. Allerlei formaten handen: groot en klein, jong en oud. Ik probeer mij los te rukken, maar de handen zijn net de tentakels van een inktvis. Dan hoor ik mezelf gillen. Ik zie bloed en vuur. Heel de ruimte is gevuld met rood. Op het laatst verschijnt Marion. Ze kijkt mij verdrietig en verwijtend aan. 'Wat heb ik je misdaan, dat je mij hebt vermoord?

Waarom, waarom, waarom? Kun je mij antwoord geven op die vraag?' Hier stopt de droom, en ik word badend in het zweet wakker. Eén keer werd ik wakker op de grond. Van schrik was ik uit bed gevallen.
Aangezien de nachtmerries steeds vaker terugkomen, weet ik niet wat ik moet doen. Als ik een afspraak hiervoor maak bij mijn huisarts, wil zij natuurlijk weten waarom ik slaaptabletten wil hebben. Het wordt zelfs zo erg dat ik niet meer naar bed durf. Het ergste is dat ik op deze manier slaap tekortkom. Acht uur slaap heb ik echt wel nodig. Van een gezonde nachtrust kan ik niet meer spreken. In een wanhopige poging om toch voldoende te kunnen slapen besluit ik naar de drogist te gaan. Misschien zijn er wel slaaptabletten verkrijgbaar die ik zonder recept kan kopen. Tot mijn verbazing zijn er heel wat middeltjes te verkrijgen. Ik heb ze voor het uitzoeken. Een halfuur later vertrek ik weer, met een sterk en goed middel. Nu maar duimen dat het werkt. Op de bijsluiter staat dat het in ieder geval niet verslavend werkt, maar dat je het ook niet langer dan zes maanden moet gebruiken. Tegen die tijd zie ik dan wel weer. Ik weet heel goed waar die nachtmerries vandaan komen. De oplossing voor mijn slaapprobleem is ook simpel: de waarheid vertellen, maar dat is juist zo moeilijk.

HOOFDSTUK 21

Ik kan het niet helpen, maar ik denk dat Yvonne iets in haar schild voert. Het is zomaar een gevoel dat ik niet kan thuisbrengen. Wanneer ik het niet merk, althans wanneer Yvonne dat denkt, kan ze me zo lachend aankijken. Het is net alsof ze binnenpret over iets heeft. Ik pieker me suf hoe ik het op een onopvallende manier uit haar los kan krijgen. Het liefst natuurlijk zonder dat ze het zelf in de gaten heeft. Maar wat ik ook verzin en wat ik ook bedenk, een bruikbaar idee zit er niet bij.
Dan belt Mark op een vrijdagmiddag. Of ik vanavond iets te doen heb.
'Wat een rare opmerking,' snuif ik verontwaardigd. 'Je weet dat ik 's avonds altijd vrij heb. Als er één iemand is die 's avonds iets te doen heeft, ben jij het wel.'
Ik hoor de bulderende lach aan de andere kant van de lijn.
'Als je maar weet,' besluit Mark, 'dat ik je vanavond kom halen. Nee, wat we gaan doen, zeg ik niet. Dat is nog een verrassing.'
Ik sputter tegen. 'Wat moet ik aantrekken?' is mijn vraag.
Het is even stil voordat Mark antwoord geeft. 'Kleren natuurlijk. Wat dacht je anders? Met een blote vrouw ga ik niet in Utrecht rondlopen.'
Ik mompel iets over mannen en dat die soms veel te licht over vrouwenzaken denken.
Weer klinkt zijn bulderende lach. 'Zorg er nu maar gewoon voor dat je klaarstaat om halfzes. Dan haal ik je op.'
Met een gevoel van opwinding leg ik neer. De rest van de middag pieker ik me suf wat voor verrassing Mark voor mij in petto heeft. Ten slotte besef ik dat ik gewoon geduld moet hebben. Geduld is echter niet mijn sterkste kant.
Om vijf uur sluit de praktijk. Ik wens iedereen een goed weekend

en ren naar mijn appartement. Ik heb maar een halfuur, en dat is eigenlijk veel te kort naar mijn zin. Een douche kan ik wel vergeten. Daarvoor alleen al heb ik meer dan een halfuur nodig. Ik plens wat koud water in mijn gezicht en bedenk koortsachtig wat ik zal aantrekken. Zul je net zien: mijn favoriete blouse zit in de was. Wanhopig bekijk ik de inhoud van mijn kledingkast. Ik scheld Mark uit voor alles wat mooi en lelijk is. Als man begrijp je toch ook wel... Die van mij dus niet. Ik zucht eens diep voordat ik een wit poloshirt onder een stapel T-shirts vandaan haal. Vlug met het strijkijzer eroverheen, daarna mijn spijkerrok. Wanneer ik ook nog een leuk sjaaltje ergens vandaan weet te toveren, is mijn outfit compleet, en klaar is Else-Marie Verbeke. Een blik op de keukenklok leert me dat ik nog tijd overheb om iets van make-up op mijn gezicht aan te brengen. Net wanneer ik mijn haar wil gaan borstelen, hoor ik de bel. Ik lach naar mijn spiegelbeeld. Dan loop ik naar de intercom.

'Wat gaan we nu doen?' Met een blik vol verwachting, maar ook wat ongeduldig, kijk ik Mark aan. Ik zie de pretlichtjes in zijn ogen verschijnen.
'Juffertje Ongeduld,' zegt hij plagend.
Ik wil weer happen, maar nog net op tijd houd ik mij in.
'We gaan naar je lievelingsrestaurant,' is alles wat hij zegt. 'Naar de McDonald's,' concludeer ik.
Mark knikt slechts.
Van verontwaardiging sta ik midden op straat stil. 'Wat ben jij gemeen,' val ik tegen hem uit. 'Als ik dit van tevoren had geweten, had ik er niet zo veel werk van gemaakt.'
Mark kijkt me stralend aan. 'Kom maar mee,' is alles wat hij zegt.
Ik kan er nog niet over uit. Mopperend over mannen in het algemeen en ene Mark van der Klooster in het bijzonder loop ik naast hem.
Het humeur van Mark is niet stuk te krijgen, terwijl dat van mij met iedere minuut verder naar beneden zakt.
Bij de eerste de beste McDonald's die we tegenkomen, neemt Mark mij mee naar binnen.
Intussen is mijn boze bui, nou ja, boze bui, ook verdwenen.

Mark staat in de rij.
Ik ga intussen op zoek naar een tafeltje. Dat valt nog niet mee. Het is koopavond, en het is druk in de stad. Eindelijk, in een hoekje, zie ik nog een vrij plaatsje. Het is ook wel fijn, bedenk ik, dat ik nu niet voor mezelf hoef te koken. Wie weet wat voor leuke dingen deze avond ons nog meer brengt.
Daar komt Mark aangelopen met het dienblad. Hij schuift aan en begint te vertellen van zijn belevenissen van die dag.
Ik luister aandachtig, en ondertussen open ik mijn doosje met kipstukjes. Het doosje met de saus staat al klaar. Wanneer ik een stukje kip wil pakken, zie ik dat er iets tussen ligt.
De stem van Mark verdwijnt naar de achtergrond.
Verwonderd staar ik naar de ketting die op de bodem ligt.
Mark is opgehouden met praten en kijkt mij aan.
Ik weet niets te zeggen en schuif de andere stukjes kip opzij. Voor me ligt een ketting met twee open hartjes die samen één hart vormen. Tranen van ontroering springen in mijn ogen. 'Wat is dit mooi,' fluister ik zacht. Met trillende vingers probeer ik de ketting te pakken.
Mark kijkt me verlegen aan. 'Mag ik dit bij je omdoen?'
'Natuurlijk,' haast ik mij te zeggen. Ik weet niet hoe snel ik mijn sjaaltje moet afdoen en de bovenste knoopjes van mijn shirt moet openmaken.
Mark is al opgestaan en heeft de ketting in zijn handen.
Ik sluit mijn ogen wanneer hij achter me komt staan en met een teder gebaar de ketting om mijn hals legt en deze sluit. Ik kan het nog steeds niet geloven. Voorzichtig voel ik met mijn handen aan mijn hals. Ergens in mij komt een golf van paniek opzetten. O nee, niet nu, niet op dit moment. Met moeite krijg ik mijn ademhaling weer onder controle.
Mark is weer gaan zitten.
'Dank je wel,' krijg ik nog net uit mijn keel.
Mark vertelt dat hij dit met hulp van Yvonne heeft gekocht. Yvonne en Linda dragen immers ook zo'n ketting.
Ik knik. Nu begrijp ik ook waarom Yvonne mij zo lachend aankeek. Zij wist wat er komen ging.
'Alleen hebben zij een andere kleur. Ik dacht rood.'

Weer voel ik voorzichtig met mijn handen. Met een blik vol liefde kijk ik Mark aan. Deze ketting heeft blauwe steentjes, mijn lievelingskleur.
'Kom mee,' zegt hij op vastberaden toon.
Ik vraag maar niets meer. Totaal overdonderd volg ik hem naar de ballenbak.
Mark opent het deurtje dat bestemd is voor ouders om hun kroost dat niet van weggaan wil weten, eruit te halen. Hij moet bukken om naar binnen te kunnen.
Ik volg hem.
Dan zakt hij door zijn knieën en kijkt mij ernstig aan. Ongewild moet ik lachen, maar dat is meer van de opkomende zenuwen. Ik heb geen idee wat er gaat gebeuren.
'Else-Marie, wil je met me trouwen?' klinkt het dan uit zijn mond.
Weer springen de tranen me in de ogen, maar ik schaam mij er niet voor. 'O Mark,' fluister ik. 'Ja, ik wil dolgraag je vrouw worden.'
Ik laat mij voorovervallen, in zijn armen.
Mark wordt bedolven onder de ballen en mijn kussen.
We vergeten heel de wereld om ons heen. Tot het moment dat ik op mijn rug wordt getikt.
Verstoord laat ik Mark los, en ik draai mijn hoofd om.
Een medewerker kijkt ons verlegen aan en kucht even. Hij krijgt een kleur zo rood als zijn bloes en zegt stamelend een zin die ik nooit meer zal vergeten: 'U bent te oud om in de ballenbak te spelen. Wilt u zo vriendelijk zijn er nu uit te komen?'

De rest van de avond is als een droom voorbijgegaan. Ik voel me, nee, ik *ben* de gelukkigste vrouw ter wereld. Steeds voel ik aan mijn hals, en iedere keer denk ik: ja, hij zit er nog.
Mark brengt mij na afloop thuis. Hij gaat snel naar zijn eigen huis. Morgen heeft hij middagdienst. 'Droom maar lekker over ons huwelijk,' fluistert hij in mijn oor.
Met een gelukzalig gevoel sluit ik de deur achter me. Toch wordt dit de langste nacht van mijn leven, want wanneer ik eenmaal in bed lig, wil de slaap ondanks de medicijnen niet komen. Ik draai mij van de ene zij op de andere. De nacht valt als een beklemmende deken op me. Ten slotte houd ik het in bed niet meer uit.

In mijn woonkamer loop ik als een gekooide tijger heen en weer. Het heerlijke gevoel is langzaam weggeëbd, en er komen angst en vertwijfeling voor in de plaats. De ketting van Mark hangt als een molensteen om mijn nek. Ten einde raad doe ik hem af, en ik kijk er peinzend naar. Dan ineens dringt de harde werkelijkheid tot mij door. 'O Mark,' fluister ik terwijl ik mijn hand stevig dichtknijp, 'ik kan niet met je trouwen, niet op deze manier.' Wanhopig vecht ik tegen mijn tranen. 'Hoe graag ik het ook zou willen, met alle liefde die ik voor je voel, ik kan het niet.' Zijn ketting leg ik op mijn salontafel neer. In mijn secretaire vind ik pen en papier. Ik loop terug naar de bank en ik begin te schrijven. Na een halfuur is mijn brief klaar. Een envelop eromheen. In een andere envelop stop ik de ketting. Met pijn in mijn hart plak ik beide enveloppen dicht. Het moeilijkste komt nog, wanneer ik ze straks aan Mark zal geven.

Mark kijkt mij verbaasd aan wanneer ik die zaterdagmorgen de keuken in kom stormen. Zo te zien is hij net uit bed.
Ik weet niet waar ik moet beginnen en ik struikel over mijn woorden. De enveloppen houd ik in mijn hand. 'Ik kan het niet Mark. Ik kan niet met je trouwen.' Het hoge woord is eruit.
Mark kijkt mij niet-begrijpend aan. Hij komt naar me toe gelopen en wil mij in zijn armen nemen.
Ik schud vastberaden mijn hoofd. 'Echt, ik kan het niet.' Ik kijk hem smekend aan. In zijn ogen lees ik een soort berusting.
Ondanks mijn protest neemt Mark mij toch in zijn armen. Hij drukt mijn hoofd op zijn borst, en zijn hoofd rust op dat van mij. Kalm en bedaard zegt hij: 'Ik denk dat ik het wel begrijp. Misschien heb ik je met mijn huwelijksaanzoek overvallen. Dat geeft niet, hoor. Als jij er nog niet klaar voor bent, wachten we toch nog een poosje? Als jij dat liever hebt, wil ik ook wel over samenwonen nadenken.'
'Samenwonen?' herhaal ik angstig.
Voorzichtig laat Mark mij los, en hij neemt mijn hoofd in zijn handen.
Of ik het wil of niet, ik moet hem wel aankijken.
'Bij sommige vrouwen voel je het als man gewoon: deze zijn niet

geschikt voor het huwelijk.' Mark grinnikt zachtjes. 'Vreemd, ik heb altijd het gevoel gehad dat jij niet veel voelde voor samenwonen. Dat je het op een of andere manier te vrijblijvend vond. Blijkbaar heb ik mij vergist.'
Het vuurrood stijgt naar mijn wangen. 'Dat is het niet. Onder andere omstandigheden had ik dolgraag met je willen trouwen, maar het kan niet.' Er klinkt spijt in mijn stem wanneer ik dit laatste zeg. Dan gooi ik er alles uit.
Het gezicht van Mark verandert langzaam van oprechte verbazing in een soort afschuw.
De tranenstroom bij mij is niet meer te stuiten. Ik wil mijzelf aan hem vastklampen, maar Mark duwt mij ruw van zich af.
Hij loopt naar het woongedeelte en gaat voor het raam staan. Al die tijd heeft hij niets gezegd.
Ik ga naast hem staan en kijk ook naar buiten.
Aan de zijkant van de tuin knipt de buurman zijn heg.
'Toe, Mark,' smeek ik bijna, 'zeg nu iets tegen mij.'
Even is het stil.
Dan haalt Mark zijn schouders op. 'Wat valt er nu nog te zeggen, Else-Marie,' antwoordt hij gelaten. Dan verandert zijn toon, en spottend gaat hij verder: 'Wat dacht je? Dat we op dezelfde manier verder konden gaan? Al die tijd heb je mij voorgelogen. Meer dan een jaar heb ik een relatie met een moordenares? Hoe denk je dat ik mij nu voel?' Het laatste komt er verbitterd uit.
'Wat je ook van mij denken mag, mijn liefde voor jou was echt en oprecht,' is alles wat ik kan uitbrengen.
Er hangt een gespannen stilte.
'In de ene envelop zit je ketting, en in de andere mijn verhaal. Laat me zo niet weggaan.'
Maar Mark zegt niets en blijft voor zich uit kijken.
Voorzichtig leg ik mijn hand op zijn arm.
Mark kijkt voor zich uit.
Ik voel aan zijn lichaamshouding dat hij dit gebaar niet op prijs stelt. Aarzelend trek ik mijn hand terug. Ook ik weet de juiste woorden niet te vinden.
De spanning die tussen ons hangt, is duidelijk voelbaar.
Ik wil naar huis, en nog zonder iets te zeggen loop ik naar de keu-

ken. Zachtjes trek ik de deur achter mij dicht. Met mijn fiets aan de hand loop ik naar voren.
De buurman is nog steeds aan zijn heg bezig. Hij heeft behoefte aan een praatje.
Ik luister geduldig.
'Wanneer krijg ik een nieuwe buurvrouw?' vraagt hij guitig.
Ik schrik van zijn woorden en stamel dat ik daar geen antwoord op kan geven.
'Er wonen hier te veel vrijgezelle mannen,' vertrouwt hij mij toe. Met zijn schoen schopt hij een paar takken opzij.
Ik probeer een lachje op mijn gezicht te toveren. 'Wanneer komt u met een vriendin boven water?' is mijn vraag.
De buurman lacht hartelijk om deze opmerking. 'Ik dacht het niet: lang leve mijn vrijheid.'
Bij het laatste woord krimp ik ineen. Vrijheid, nog even en dan...
Ik neem afscheid en stap op de fiets. Op weg naar de volgende stap. Ik heb nog veel te doen.
Eerst bel ik Yvonne. Zij neemt meteen op, en ik vraag haar of Linda aanstaande maandag tussen de middag bij ons op de praktijk kan zijn.
Linda heeft een paar vrije dagen. Dat is dus geen probleem. Nieuwsgierig vraagt Yvonne naar de reden.
Ik houd mij op de vlakte en laat niets los.
Annet neemt niet op, maar ik heb nog altijd het nummer van Bob. Ook hij is verbaasd wanneer ik hem uitnodig voor de lunch. Bob belooft dat hij er zal zijn en zal de boodschap ook aan Annet doorgeven.
Daarna loop ik naar de praktijkruimte. Uit mijn dossierkast pak ik een aantal dossiers, en ik pleeg wat telefoontjes. Het zijn cliënten die ik afbel. Dan ligt het dossier van meneer Veenstra voor mij. Ook hem krijg ik meteen aan de lijn. Gewoonlijk komt hij op dinsdag voor zijn behandeling. Ik vraag aarzelend of het mogelijk is dat hij voor deze ene keer op maandagmiddag komt.
'Helemaal geen probleem,' zegt hij. Vergis ik mij of klinkt er opluchting in zijn stem door?
Met een tevreden gevoel ruim ik even later de dossiers op. Mooi, nu dit achter de rug is, ga ik meteen door met het schoonmaken.

Ik loop naar de werkkast. Het is maar goed dat Anne en Lotte hebben afgebeld. Ze zijn samen een weekendje naar Parijs, een soort van zussenweekend. Eén keer per jaar staat er zoiets op het programma. Marianne heeft dagdienst dus die zie ik vandaag ook niet. Het schoonmaken van *Iris* geeft mij een voldaan gevoel. Ondertussen zijn mijn oren toch gespitst op ieder geluid dat ik hoor, of Mark belt of voor de deur staat. Wanneer ik tegen twee uur klaar ben met de schoonmaak, is mijn appartement aan de beurt. Ook daar ga ik flink tekeer met stof- en sopdoek.
De zaterdag is voorbij voordat ik het goed en wel besef. Nu volgt er nog een lange zondag.

HOOFDSTUK 22

Het is zondagmorgen. Ik leun over mijn balkon. Afwezig verwijder ik wat dode bloemknoppen uit mijn plantenbakken. Mijn gedachten zijn bij Mark, die nog steeds niets van zich heeft laten horen. Ik zucht eens diep. Hoe heb ik ooit in mijn hoofd kunnen halen dat we samen een toekomst zouden kunnen hebben. Ik een toekomst met Mark. Samen oud worden en dan tegelijkertijd leven met zo'n donkere kant van mijzelf. Een kant waarvan ik dacht dat ik die niet zou hebben. Iets waarvan ik in de verste verte nooit gedacht zou hebben dat die in mij huisde. Dat ik verliefd zou worden en zou gaan houden van Mark, kwam al helemaal niet in mijn scenario voor. Toch is het gebeurd, en ik heb er geen spijt van gehad. Eigenlijk wist ik diep in mijn hart dat we geen toekomst samen hadden. Als ik niets gezegd had, was het langzamerhand als vergif in onze relatie geslopen. Naarmate de tijd was verstreken, had het steeds meer zijn kop opgestoken, en dan? Was het dan niet veel erger geweest, niet alleen voor mij maar ook voor Mark? Als hij na onze huwelijksdag te weten was gekomen dat hij met een moordenares was getrouwd, wat voor gevolgen zou het dan allemaal hebben gehad voor zijn carrière? Hij aan de ene kant van de wet, ik aan de andere? In gedachten zie ik de krantenkoppen al voor me: *Politieman getrouwd met moordenares*. Daarom is het goed dat ik het nu gezegd heb, maar de pijn, die vreselijke pijn vanbinnen. De liefde van mijn leven moet ik nu loslaten. Ik kon hem immers niet vasthouden. Iemand heeft ooit geschreven: liefde betekent ook loslaten. Daar heb ik met Bram niets van gemerkt. Er was alleen maar woede, een enorme boosheid om wat hij mij had aangedaan. Maar Mark... Ik sluit mijn ogen. Ik heb vrede met de situatie dat straks alles voorbij zal zijn. Aanstaande dinsdag, wanneer ik me bij het politiebureau meld. Dan begint het pas. Het onderzoek zal op basis van nieuwe feiten heropend worden. Waarschijnlijk komt Mariëtte Touw dan ook weer op de proppen. Die zal ongetwijfeld proberen een visje uit te gooien bij Mark. Ze zal hem troosten en bijstaan, en wie weet komt daar iets moois uit voort. Noemen ze dat geen winst uit verlies? Ik word veroordeeld en verdwijn voor een aantal jaren de gevangenis in. Hoeveel jaar staat er eigenlijk voor moord? Ik heb me daar niet in verdiept, omdat voor iedere zaak toch andere regels gelden. Het was geen moord met voorbedachten rade. Maar ik heb wel de politie voorgelogen, een valse verklaring afgelegd. Dat weegt natuurlijk ook allemaal mee. O ja, ik ben dan wel jaren juridisch secretaresse geweest, maar niet op de sectie Strafrecht. Daar had ik niets mee. Ik heb gewerkt in de sectie Ondernemingsrecht en Arbeidsrecht. Zo draaien mijn gedachten in een kringetje rond, en ze komen als vanzelf weer bij Mark uit. Ik wist toch waar ik aan begon? Misschien is dat wel de grootste fout geweest die ik gemaakt heb. Dat is achteraf gepraat. Met Mark heb ik het mooiste jaar van mijn leven gehad. De echte liefde mogen meemaken, zoals je die maar eens in je leven tegenkomt. Toch moet ik realistisch zijn, ook al is het een wrange gedachte. Als ik op die bewuste avond Marion niet had vermoord, had ik Mark nooit ontmoet. Want zeg nou zelf, hoe vaak kom je je wijkagent nu tegen in een stad als Utrecht? In een dorp weet men niet eens hoe de wijkagent heet. Laat staan in de grote stad. Het doet zo'n pijn vanbinnen. Morgen nog het gesprek met Yvonne en Annet, in het bijzijn van Linda en Bob en Martine. Dan is het voorbij, afgelopen. Ergens hoop ik dat voor die tijd Mark nog iets van zich laat horen. Dat zou alles toch wat draaglijker maken. Ik ga er maar niet van uit. Ook hij moet de tijd krijgen. Ik zucht en merk dat de tranen over mijn wangen lopen. Mark, wat mis ik je. Nu moet ik alleen verder, zonder jou, zonder je liefde.

Het wordt een trieste zondag. Om de tijd te doden maak ik een wandeling. Als vanzelf brengen mijn benen mij naar de oude kerk. Weer neem ik de toevlucht tot mijn plekje. De stemmen van de mensen zijn als balsem op mijn ziel. Weer komen de tranen. Nog even volhouden, nog even.

Wanneer ik thuiskom, rommel ik een beetje in mijn secretaire op

zoek naar pen en papier. Het moeilijkste heb ik achter de rug, maar er zijn nog meer brieven die ik moet schrijven. Een aan Lotte en Anne. Ook daar heb ik het moeilijk mee, zeker met die aan Lotte. Een advocate die zich wil specialiseren in strafrecht. Ook zij heeft recht op de waarheid. Beide brieven beëindig ik met de opmerking dat ik hoop dat dit onze vriendschap niet in de weg zal staan. Dat zij mij, wanneer ik veroordeeld ben, zullen komen bezoeken. Ik schrijf er wel bij dat ik het ook kan begrijpen als ze niets meer met me te maken willen hebben. De brieven leg ik apart. Wanneer Bob morgen komt, zal ik vragen of hij ze wil meenemen en persoonlijk aan zijn dochters wil overhandigen.
De rest van de zondag kijk ik iedere keer ongeduldig naar de telefoon. Niet één keer rinkelt hij. Ik controleer het antwoordapparaat, maar daar is niets mee aan de hand. Geen enkel bericht van Mark. Die avond kruip ik vroeg in bed. Ik verwacht dat ik geen oog zal dichtdoen, maar vreemd genoeg val ik vrijwel meteen in een droomloze slaap, zonder nachtmerries. En dat zonder medicijnen.

Zoals altijd is Yvonne als eerste in de praktijk.
Op de trap hoor ik haar al rommelen in de keuken. De geur van versgezette koffie en thee komt mij tegemoet. Met een dapper lachje groet ik haar.
Ze kijkt me nieuwsgierig aan. De vragen branden op haar lippen, maar ze zegt niets.
De stralende blik van Yvonne doet mij de moed al in de schoenen zakken. Met een schok komen de woorden van Mark weer in mijn herinnering. Hij had immers Yvonne advies gevraagd over zijn ketting. Yvonne denkt dus dat ik straks mijn huwelijksplannen ontvouw.
Ook de anderen werpen vragende blikken in mijn richting, die ik echter negeer.
Mijn laatste ochtend kruipt tergend langzaam voorbij. Iedere keer kijk ik op de klok hoe laat het is. Eindelijk is het zover. Het is mijn beurt om samen met Martine de tafel te dekken.
Martine kletst mij de oren van het hoofd.
Gelukkig komen Bob en Linda tegelijkertijd binnen, zodat het niet

opvalt dat ik niet zo veel zeg. Naarmate de tijd verstrijkt, word ik steeds zenuwachtiger.
Bob, die met Linda en Martine heeft staan praten, komt op me af gelopen.
Ik draai mij om en vecht tegen mijn tranen.
Bob slaat een arm om mij heen. 'Heb je het zo moeilijk?' vraagt hij zachtjes, zodat de anderen het niet kunnen horen.
Ik hoef geen antwoord te geven.
Op dat moment komen ook Annet en Yvonne de keuken binnen.
Nu iedereen er is, kunnen we aan tafel.
Ik heb besloten mijn verhaal te doen wanneer iedereen klaar is met de lunch. Ik heb niet zo'n honger, maar ik besef dat ik toch iets moet eten, al is het maar een boterham.
Yvonne is de eerste die het woord neemt. 'Kom nu maar op met je nieuws. Houd ons niet langer in spanning.' Ze kijkt iedereen met een stralende blik aan.
Er verschijnt een prop in mijn keel, die ik probeer weg te slikken.
'Bob, wil je naast me komen zitten?'
Annet kijkt hem vragend aan, maar Bob staat al op van zijn stoel om naast mij te gaan zitten.
Voorzichtig leg ik mijn hand op zijn arm.
Bob knikt mij bemoedigend toe.
'Ik wil jullie iets vertellen, over Marion van der Laan.'
Annet valt mij in de rede. 'Marion? Je gaat me toch niet vertellen dat je daar nog over inzit.' Annet zwaait gevaarlijk met een mes in mijn richting. 'Let op mijn woorden: ze wordt helemaal niet vermist. Ze heeft haar biezen gepakt en zit nu vast en zeker in een of ander tropisch oord met bruine gespierde mannen om haar heen in een hangmat uit een kokosnoot te drinken.' Annet leunt vertrouwelijk over de tafel heen. 'Het zou me niets verbazen als ze ook nog fraude heeft gepleegd en het er nu van die centen fijn van neemt.'
Mijn hart krimpt ineen onder deze woorden. Was het maar waar, flitst het door mijn gedachten. Ik schud mijn hoofd, terwijl ik de arm van Bob zo langzamerhand bont en blauw knijp.
Bob geeft overigens geen krimp.
Ik neem een diepe teug adem en steek van wal.

Na mijn verhaal blijft het stil. Iedereen kijkt me aan, terwijl ik vecht tegen mijn tranen.
De eerste die iets zegt, is Annet. Ze kijkt mij met een spottende blik aan, terwijl ze haar hoofd schudt. 'Ik weet dat je een dosis fantasie bezit waarop een schrijver jaloers zou worden, maar dit is te gek voor woorden. Jij zou nog geen vlieg kwaad kunnen doen.'
De klaterlach van Annet klinkt door de keuken.
Ik kijk haar wanhopig aan.
Bob zegt op scherpe toon: 'Hier valt niets te lachen. Ik geloof Else-Marie. Zij zou nooit met zoiets spotten.'
Ik schenk Bob een dankbare blik.
Het lachen van Annet stopt abrupt, terwijl ze mij onzeker opneemt.
De anderen kijken me aan met een blik van twijfel en verbazing.
'Geloof me,' begin ik nogmaals. 'Het is de waarheid.'

Ik ben nog niet klaar met mijn verhaal. Nu de waarheid boven tafel is, vertel ik dat ik mij met ingang van morgen uit de praktijk terugtrek. De brieven voor mijn cliënten heb ik al gedicteerd. Aan Bob vraag ik of hij mijn zakelijke belangen wil behartigen.
'Dat zal ik doen,' stelt hij mij gerust.
Daar hoef ik mij dus geen zorgen over te maken. De huur zal maandelijks worden overgemaakt, zodat ik, als ik terug mag komen, niet op straat zal staan.
Martine gaat meteen aan de slag met haar tekstverwerker om mijn cliënten op de hoogte te stellen.
Het is tijd om weer aan het werk te gaan. Ik loop naar de wachtruimte om mijn laatste cliënt te begroeten.
Meneer Veenstra zit al op mij te wachten.
Ik vraag meteen of hij mee naar binnen gaat.
Terwijl hij zich uitkleedt, praten we wat over koetjes en kalfjes. Hij kijkt mij peinzend aan, en ik begin me ongemakkelijk te voelen onder zijn blik. Hij neemt plaats tegenover mij en zegt op luchtige toon dat hij blij is dat hij vanmiddag de behandeling krijgt. Olijk kijkt hij mij aan, en hij zegt samenzweerderig: 'Je hebt mij uit een netelige positie gered.' Meneer Veenstra schiet in de lach om mijn verbaasde uitdrukking. Hij leunt voorover en fluistert:

'Om deze tijd had ik eigenlijk naar de bingomiddag gemoeten, maar daar kom ik nu mooi onderuit.'
Mijn verbazing steek ik niet onder stoelen of banken. 'U houdt toch zo veel van bingo?'
'Vroeger wel,' krijg ik te horen. 'Nog niet zo lang geleden hebben wij een nieuwe overbuurvrouw gekregen, en die heeft een oogje op mij.'
Wanhopig probeer ik mijn lachen in te houden.
Meneer Veenstra ziet mijn gevecht en quasimopperend zegt hij: 'Ja, lach jij maar, maar ik zit ermee in mijn maag. Mevrouw Veenstra is hier ook niet zo blij mee.'
Ik mompel dat ik mij dat heel goed kan voorstellen.
Het blijkt dat het allemaal heel onschuldig is begonnen: of het echtpaar Veenstra een kopje suiker kon missen, of meneer Veenstra even kon helpen. De overbuurvrouw deed wel erg vaak een beroep op meneer Veenstra. Bij het dagelijkse koffiedrinken in de recreatiezaal werd mevrouw Veenstra zowat ondersteboven gelopen doordat de buurvrouw per se naast meneer Veenstra wilde zitten. Het echtpaar Veenstra was er niet van gediend. Een stevig gesprek met de buurvrouw liep op niets uit. Zij ontkende bij hoog en bij laag, en mevrouw Veenstra zag dingen die er niet waren. Ze besloten de vriendschap dan maar op een laag pitje te zetten.
'Helaas weet zij niet van ophouden,' zucht meneer Veenstra vermoeid. 'Zelfs op de bingo laat ze mij niet met rust.'
Het resultaat is dat meneer Veenstra zich steeds ongelukkiger begint te voelen onder al deze ongewenste aandacht. Mevrouw Veenstra op haar beurt krijgt steeds meer een hekel aan de buurvrouw.
'De bingo is de bingo niet meer,' eindigt meneer Veenstra zijn relaas.
Ik krijg medelijden met hem en wil hem wat moed inspreken. 'U moet het ook proberen van de andere kant te bekijken: u oefent op uw leeftijd toch zo veel aantrekkingskracht op vrouwen uit dat ze u aantrekkelijk vinden.'
Meneer Veenstra snuift verontwaardigd. Dan verschijnen er pretlichtjes in zijn ogen. 'Zo heb ik het nog niet bekeken. Eerlijk gezegd zou ik het leuker vinden als zo'n leuke, jonge bloem als jij

nog iets in mij zou zien.' Hij zucht eens theatraal. 'Helaas heb ik het verloren van een blonde agent.'
De herinnering aan Mark wordt mij te veel. Ik barst in tranen uit. Meneer Veenstra komt geschrokken overeind en slaat een arm om mij heen.

Ik huppel vanuit school naar huis. Ik huppel, omdat ik een mooie tekening heb gemaakt voor mijn moeder. En omdat de juf trots op me is. 'Je hebt een mooie tekening gemaakt, Else-Marie,' heeft ze gezegd. 'Wat zal je moeder hier blij mee zijn.' Wat de juffrouw zegt, is waar. Juffen liegen niet, en meesters ook niet. Nog even, en dan ben ik weer thuis. Daar wacht mijn moeder op me met thee. Die zet ze speciaal voor mij. In de grote theepot, op een lichtje. Meestal is er ook iets lekkers bij. Mijn moeder kan goed bakken, en vooral haar kruidkoek is erg lekker. Ik schrik op van een schaduw. Marion staat ineens voor mij. Ik ben bang voor Marion. Zij is geen aardig meisje. Ik wil geen vriendinnetje met haar zijn. Ze plaagt dieren, en mij ook. Ze plaagt mij altijd. Dat durf ik thuis niet te zeggen. Ze woont aan de andere kant van het dorp. Wat doet ze hier eigenlijk? O ja, nu weet ik het weer. Haar oma woont hier in de buurt. Ik kijk haar angstig aan. Een brede grijns verschijnt op haar gezicht. 'Zo, daar hebben we Else-Marie Verbeke. Nu zal ik jou eens te pakken nemen.' Ik wil huilen, maar ik slik mijn tranen dapper in. Mijn moeder heeft altijd gezegd dat ik een grote meid moet zijn, en niet moet huilen. Dat is een teken van zwakte of zoiets. Wat dat betekent, begrijp ik niet zo goed. Wel dat andere mensen het niet zo leuk vinden. Nog steeds kijk ik Marion angstig aan. Dan duwt zij mij in de heg. Ik val en kom langzaam weer overeind. Dan krijg ik een schop tegen mijn billen. Dat doet zeer. Marion trekt mij omhoog. Wil zij mij nu helpen? De tranen springen in mijn ogen. Ze trekt mij mee een paadje in, achter de huizen. Radeloos kijk ik om mij heen of iemand me kan helpen. Er is niemand. 'Zo,' zegt Marion op gemene toon, 'nu maak ik je dood.' Ik wil niet dood. Verleden jaar is mijn opa overleden. Dat vond ik eng. Ze hebben hem in een kist onder de grond gestopt. Op school zeiden ze dat wormen en spinnen nu aan het lichaam van mijn opa zatén te eten. Ik wil niet opgegeten worden door de wormen. 'Nee, ik wil niet dood,' kan ik nog uitbrengen, en smekend kijk ik Marion aan. Ze legt haar handen om mijn nek en knijpt. Ik kan geen adem meer halen en heb het gevoel dat ik stik. Ik word duizelig, en het wordt zwart voor mijn ogen. Ik kan niet meer op mijn benen staan. In de verte klinkt een stem. Komen de engelen waarover de juf heeft verteld, mij nu halen? Maar engelen hebben toch een hoge stem, net als het engelenkoor in de kerstnacht. Heldere stemmen? Deze engel heeft een bromstem. Dan voel ik twee armen om mij heen. Marion laat haar handen los, en ik snak naar lucht. Dan open ik mijn ogen. Marion rent hard weg. Voor mij staat een oude man. 'Gaat het een beetje, meisje?' vraagt hij ongerust. Ik zeg niets, maar kijk hem angstig aan. Ik kan geen woord uitbrengen. Mijn keel doet zeer. Ik huil, terwijl de man zijn fiets pakt. 'Jij bent toch dat meisje van Verbeke?' vraagt hij. Ik knik. 'Mooi,' zegt de man, terwijl hij mij optilt en achter op zijn fiets zet. 'Ik breng je wel even naar huis.' Mijn moeder heeft altijd gezegd dat ik nooit met vreemde mannen mee mag gaan. Maar deze man lijkt een beetje op mijn opa. Thuisgekomen legt de man alles aan mijn vader uit. Mijn moeder neemt mij in haar armen en troost me. Weer huil ik. Door mijn tranen heen zie ik op de tafel de theepot op het lichtje staan. Daarnaast staat een schaaltje met mariakaakjes. Geen kruidkoek deze keer.

'Als ik het goed begrijp...' De stem van meneer Veenstra brengt mij terug in het heden. 'Als die beste man vijf minuten later was gekomen, had er hier geen Else-Marie gezeten?' Hij kijkt mij vragend aan.
Met een diepe zucht beaam ik het.
'Dan heb ik ook geen medelijden met haar,' is zijn oordeel.
Ik ben het niet met hem eens. Verdrietig kijk ik hem aan. 'Niet iedereen zal er zo over denken,' is het zachte antwoord dat hij krijgt. 'Ik had het nooit mogen doen. Ik heb het recht in eigen hand genomen.'
Meneer Veenstra wil weten waarom ik haar de eerste keer niet herkende.

Ik haal mijn schouders op. Ik weet het antwoord op die vraag ook niet zo goed. Misschien heb ik die herinnering in mijn onderbewustzijn verdrongen. Ik heb nooit meer aan Marion gedacht, ook later niet meer. Alles kwam weer naar boven door die brief die ik kreeg.

'Een brief?' herhaalt meneer Veenstra. De verbazing is van zijn gezicht af te lezen.

Ik leg uit dat het mogelijk is herinneringen te verdringen. Door een gebeurtenis of iets wat men meemaakt, komt de herinnering soms weer bovendrijven. Ik vermoed dat dat het in mijn geval is geweest.'

Het blijft een poosje stil tussen ons. Dan neemt meneer Veenstra het woord. 'Hoe nam die aardige wijkagent het op?' vraagt hij.

Met een trieste blik in mijn ogen kijk ik hem aan. Met alle macht probeer ik mijn stem onder controle te houden. Een dikke prop zit in mijn keel, en ik probeer deze weg te slikken. Het lukt niet. Zacht antwoord ik dat Mark, nadat ik alles had verteld, niets meer van zich heeft laten horen. 'Ik denk niet dat hij nog zal reageren.'

Weer is het stil. Dan snuift meneer Veenstra verontwaardigd. 'Als hij niet reageert, is dat jongmens geen knip voor zijn neus waard.'

Ik probeer Mark te verdedigen. 'Ik heb wel iemand vermoord en een valse verklaring afgelegd. Ik kan best begrijpen dat Mark niet met mij verder wil, al doet het nog zo veel pijn en geeft het me nog zo veel hartzeer.' Het laatste komt er op zachte toon uit.

Meneer Veenstra is niet overtuigd. Hij legt zijn oude, gerimpelde hand op de mijne. 'Liefde overwint alles,' is zijn eenvoudig commentaar. 'Daar geloof ik al heel mijn leven in, en dat blijf ik doen tot mijn laatste dag hier op aarde. Als Mark echt van je houdt, mijn kind, laat hij je niet los. Dan komt hij terug. Liefde is immers sterker dan enig goed hier op aarde.'

Mistroostig kijk ik meneer Veenstra aan. Wat zou ik zijn woorden graag geloven.

'Mag ik je komen bezoeken?'

Verrast kijk ik op. 'Dat zou ik erg fijn vinden,' stotter ik, mijn emoties nauwelijks de baas.

'Dat is dan geregeld,' zegt hij vastberaden.

De klok tikt onherroepelijk door. Het uur is om, en het is tijd om afscheid te nemen. Met tranen in mijn ogen begeleid ik meneer Veenstra voor de laatste keer naar de deur. Buiten op de stoep schiet mij ineens de vervanging te binnen. Hij mag zelf kiezen: de behandeling laten voortzetten door Annet of Yvonne.
Meneer Veenstra kijkt bedenkelijk. 'Geen van beiden. Het zullen aardige meisjes zijn. Daar twijfel ik niet aan.'
Inwendig moet ik lachen om zijn woordgebruik: 'meisjes'. Annet is de veertig al gepasseerd, en Yvonne is er ook niet ver van vandaan. Ik ben de jongste van het stel. Ik zit nog aan de goede kant van die mijlpaal.
'Ik zal er nog even over nadenken,' zegt meneer Veenstra.
We spreken af dat hij daar rustig de tijd voor neemt en zijn beslissing aan Martine zal doorgeven. Een laatste omhelzing. Meneer Veenstra zet zijn hoed recht en zwaait met zijn wandelstok.
Ik blijf hem net zo lang nakijken totdat hij de dwarsstraat inslaat. Bij de hoek draait meneer Veenstra zich nog eens om. Als teken van groet zwaait hij met zijn wandelstok in de lucht.
Ik zwaai terug en loop dan naar binnen. Daar bots ik tegen Bob op.
Hij heeft een weekendtas bij zich. Bob schiet in de lach om mijn verbaasde gezicht. 'Je dacht toch niet dat ik je nu alleen laat? Vannacht blijf ik slapen om je steun en toeverlaat te zijn.'
Met een dankbare glimlach op mijn gezicht kijk ik hem aan. Dan betrekt mijn gezicht. 'Annet...' begin ik aarzelend.
Bob legt mij met een resoluut handgebaar het zwijgen op. 'Zij is het ermee eens.'
Stiekem hoop ik nog steeds dat Mark contact zoekt. Natuurlijk ben ik blij met het gezelschap van Bob, maar het zou toch anders zijn als Mark in deze laatste uren bij mij was.

HOOFDSTUK 23

Wat is het toch handig als je, als werkende vrouw, je praktijkruimte aan huis hebt. Neem nu alleen maar het probleem van de post. Ik hoef op mijn enige vrije dag in de week niet in de rij bij het postkantoor te staan. Er gaat zo veel tijd verloren met het ophalen en wegbrengen van pakjes. Nee, ik heb het dan toch maar goed geregeld. Als de postbode 's morgens langskomt, neemt Martine meteen de post aan die voor mij bestemd is. Mocht er 's middags een pakketje voor mij komen, dan pakt iemand anders het wel aan. Ook deze morgen is het raak. Wanneer het lunchpauze is, geeft Martine mij een stapeltje post aan. 'Dank je wel,' zeg ik hartelijk. Vluchtig neem ik het stapeltje door. Niets bijzonders zo te zien, het kan wel wachten tot vanavond. Pas na het avondeten herinner ik mij de post weer. Terwijl ik de fluitketel met water bijvul voor een beker thee, valt mijn oog op het stapeltje brieven. Ik heb een hekel aan stapels en besluit meteen alles af te handelen als dat mogelijk is. Een paar rekeningen en een brief met een onbekend handschrift. Nieuwsgierig draai ik de envelop om, maar er staat niets op de achterkant. Er zit maar één ding op: openmaken. De briefopener ligt in mijn secretaire, maar ik heb het geduld niet om daarnaartoe te lopen. Ik scheur de envelop open. Mijn ogen vliegen langs de regels. De basisschool uit mijn geboorteplaats bestaat honderd jaar. Ter gelegenheid hiervan wordt een tentoonstelling georganiseerd met klassenfoto's van vroeger tot vandaag. Ook verschijnt er een fotoboek met foto's en de geschiedenis van de school. Als klap op de vuurpijl is er ook een grote reünie in de sporthal. 'Het zou leuk zijn jou ook weer te ontmoeten,' eindigt de brief. De reünie wordt op zaterdag gehouden. Van tevoren wordt er een maaltijd geser-

veerd zodat men onder het genot daarvan jeugdherinneringen kan ophalen. De fluitketel laat op indringende toon horen dat het water kookt. Ik schrik op uit mijn gedachten. De brief leg ik naast mij neer. Ik moet er nog eens goed over nadenken.

Het is weer zover. Annet kijkt me smekend aan met haar grote bruine ogen. Of ik alsjeblieft haar avondsessie kan overnemen. Bob is weer in Utrecht voor een aantal besprekingen. Althans, dat heeft hij zijn vrouw wijsgemaakt. Dit is weer een uitgelezen kans om elkaar te ontmoeten.
'Ik wil jullie geluk niet in de weg staan, maar ik vind dat we hier eens over moeten praten. Je kunt niet altijd...'
Het zijn dezelfde cliënten als de vorige keer. De man besluit dat hij de afspraak niet door wil laten gaan. Marion van der Laan kan ik niet meer bereiken. Daar is het te laat voor. Stipt om zeven uur staat ze voor de deur.
Marion stormt naar binnen, en vanaf het moment dat ze binnen is, staat haar mond niet stil. Ze praat over van alles en nog wat, en ik luister met een half oor. 'Ik weet nu waarom je mij zo bekend voorkomt,' vertrouwt ze mij toe voordat ze op haar buik gaat liggen. Daar ben ik ondertussen ook achter gekomen. 'Wij kennen elkaar van vroeger.' Met een triomfantelijk gezicht kijkt ze mij aan. Ik knik slechts. 'We hebben bij elkaar op school gezeten.' Dat klopt, maar niet in dezelfde klas. Marion draait zich weer op haar buik. Met haar handen gevouwen onder haar kin vertelt ze verder. Ook zij heeft een uitnodiging voor de reünie gekregen. Ik heb nog steeds geen beslissing genomen of ik nu zal gaan of niet. Marion wel, ze is vastbesloten om de reis naar Zeeland te maken. 'Je kunt wel met mij meerijden, hoor, als je om vervoer verlegen zit. Ik woon hier vlakbij. Dus dat is geen enkel probleem. Kunnen we in de auto lekker bijkletsen. Zijn we alvast voorverwarmd wanneer we daar aankomen.'
Ik verslik me bijna, maar ik weet mij nog net op tijd in te houden. De behandeling begint, want daar is Marion toch voor gekomen. Als ze nu maar eens een tijdje haar mond hield.
Marion weet niet van ophouden. Ze ratelt maar door. Dat ze

het een leuk idee vond van die reünie. Ze heeft meteen ook het jubileumboek besteld. 'Ik vind het zo leuk je na zoveel jaar weer te ontmoeten. Je moet mij alles vertellen over je leven, hoor. Wat je na onze schooltijd hebt gedaan en zo. Ik ben ontzettend nieuwsgierig.'
Met een blik vol walging kijk ik op haar neer. Marion van der Laan heeft andere herinneringen aan haar lagereschooltijd dan ik.
Ze wacht niet eens op een antwoord, maar gaat meteen verder. 'Wat hebben we toch een leuke tijd gehad. Ik kijk er met veel plezier op terug. Jij niet dan?'
Niet echt, nee. Er verschijnen rode vlekken voor mijn ogen. De woede die ik probeer in te houden, zoekt zich een weg naar buiten. Nu barst ik los in een woordenstroom waaraan geen eind lijkt te komen. Mijn frustraties van al die jaren barsten in alle hevigheid los. Ik confronteer Marion van der Laan met een aantal dingen uit ons gezamenlijk verleden. Niet zulke leuke dingen, maar daar denkt zij anders over.
Op verbaasde toon zegt zij dat ze zich al die dingen niet meer weet te herinneren. 'Je moet je alles niet zo aantrekken,' eindigt ze moederlijk. 'Je zult je alles vast wel verbeeld hebben. Het is ook al weer zo lang geleden. Je weet toch wat ze zeggen: dat herinneringen door de loop van de tijd gekleurd worden. Zo erg zal het niet geweest zijn.'
Die laatste opmerking is de beroemde druppel die de emmer doet overlopen. Ik voel de druk van haar handen weer om mijn nek. Ik zou me alles verbeeld hebben? Weggestopt, diep weggestopt in een donker hoekje van mijn geheugen, om er nooit meer aan te hoeven denken. Een kastje dat je op slot draait, en waarvan je de sleutel voor altijd weggooit. 'Ik dacht het niet,' antwoord ik op kille toon, en weer verschijnen er rode vlekken voor mijn ogen. Ik aarzel niet langer. Met beide handen pak ik haar hoofd, en met een ruk draai ik dat de verkeerde kant op.

HOOFDSTUK 24

Met een dof gevoel in mijn hoofd word ik wakker. De gordijnen zijn dicht. Vreemd. Dat heb ik niet gedaan. Al sinds mijn kindertijd slaap ik met de gordijnen open. Bang voor het donker, na die nare ervaring in het schuurtje. Met een flauwe glimlach bedenk ik dat het wel of geen toeval is dat ik in al mijn huizen zowat onder een lantaarnpaal sliep. Daarom hoefde er geen nachtlampje aan te pas te komen. Zeg nou zelf, een bijna vijfendertigjarige vrouw die bang is in het donker. Ik kreun zachtjes, wanneer de werkelijkheid tot mij doordringt. Vandaag is het zover. Nog steeds niets van Mark gehoord. Het doet zo'n pijn dat ik het gevoel heb dat mijn hart breekt. 'Liefde overwint alles,' hoor ik de stem van meneer Veenstra nog in mijn oren. Hij heeft ongelijk, bedenk ik. Soms is liefde niet in staat te overwinnen. Mark is te rechtschapen voor zoiets. Ik sla het dekbed van mij af. Ik loop naar de douche en schrik van mezelf wanneer ik in de spiegel kijk. Ik zie er oud en vermoeid uit. Ik probeer een lachje op mijn gezicht te toveren, maar het wordt een halve grimas. Voorzichtig steek ik mijn hoofd om de badkamerdeur.
Bob ligt nog te slapen.
Langzaam, om hem niet wakker te maken, ga ik op mijn lievelingsplekje zitten. Glimlachend kijk ik naar hem. Dat Annet zo'n prachtexemplaar heeft gevonden. Ik gun haar alle geluk van de wereld, maar ineens doemt het beeld van Anne en Lotte voor me op. Een zucht ontsnapt uit mijn mond. Ik hoop dat de meiden Annet een kans zullen geven. Dat ze door het masker van al die zakelijkheid en verstandigheid haar ware aard zullen gaan zien. Ik hoop ook dat Lies weer gelukkig wordt met een nieuwe liefde. Of dat ze, als dat voor haar niet in het verschiet ligt, op een andere manier zin aan haar leven kan geven. Voorzichtig sta ik op en loop

ik naar Bob toe. Op mijn knieën zit ik voor de bank. Voorzichtig strijk ik met mijn vingers door zijn haar.
Bob is heel diep in slaap, want hij reageert niet.
Nog steeds met een glimlach glijd ik met mijn vingers over zijn gezicht. Met pijn in mijn hart bedenk ik dat ik er straks niet bij zal zijn wanneer Annet haar ja-woord aan hem geeft. Ze passen perfect bij elkaar. Dan merk ik dat ik huil. Nooit zal ik een stralende bruid meer zijn. Ik besef maar al te goed dat ik, wanneer ik straks vrijkom, voor de rest van mijn leven getekend zal zijn. Geen man die een vrouw met zo'n verleden wil. Dat is de consequentie die ik zal moeten aanvaarden. Daar heb ik straks alle tijd voor. Ik besluit op te staan, maar ik kom moeilijk overeind.
Door mijn gestommel wordt Bob ook wakker. Hij is meteen één en al bezorgdheid. 'Goedemorgen. Gaat het een beetje?' vraagt hij terwijl ik in de keukenkastjes aan het rommelen ben.
Ik haal mijn schouders op. 'Ik zal blij zijn wanneer ik straks bij het wijkbureau ben.'
Gelaten helpt Bob mij bij het klaarmaken van het ontbijt.
'Zeg, hoe staat het eigenlijk met de verbouwing?' Vragend kijk ik Bob aan, die net een slok van zijn thee wil nemen.
Hij zet zijn kopje terug op het schoteltje. 'Verbouwing? Welke verbouwing bedoel je?'
'Je huis in Loenen.' Ik probeer een boterham naar binnen te krijgen. Met grote slokken thee spoel ik die weg.
'Ik ben helemaal niet met een verbouwing bezig. Hoe kom je daarbij?'
'Nou, Annet vertelde ons dat het allemaal nogal is tegengevallen. Iets met bodemverontreiniging, tegenwerking door de gemeente met het afgeven van vergunningen. Kortom, het duurt nog even voordat jullie het liefdesnestje kunnen betrekken.'
Er valt een lange stilte.
Ik krijg het onbehaaglijke gevoel dat ik een verkeerd onderwerp heb aangekaart. Bob zucht eens voordat hij eindelijk antwoord geeft. 'Is dat wat Annet jullie heeft wijsgemaakt?'
Ik schrik van de harde toon in zijn stem. Ik knik slechts.
'Ja, ze moet iets vertellen om alles aannemelijk te maken, nietwaar?' Er klinkt een spottende ondertoon in de stem van Bob.

Weer is er dat bange gevoel dat mij overvalt.
Bob gaat verder: 'Ik kan je het net zo goed nu vertellen. Onze relatie is zo goed als voorbij.'
Zwijgend kijk ik hem aan. Ik wacht totdat hij verdergaat.
'We hebben ons allebei vergist. Ik kan Annet niet geven wat zij wil, en Annet geeft mij niet wat ik zoek in een vrouw.'
Nog steeds zeg ik niets en wacht ik geduldig af.
'Annet wil het liefst ieder weekend naar een feest, terwijl ik een echte huismus ben. Voor mij hoeven al die feesten niet zo, al die premières en weet ik wat al niet meer. Zij is helemaal in haar element wanneer er weer een uitnodiging op de deurmat valt. Ik ben juist op zoek naar diepgang in een vrouw. Een goed gesprek, iemand die mij aanvoelt en begrijpt. Die mij de rust geeft waarnaar ik op zoek ben. Iemand met wie ik kan lachen en huilen.' Bob schudt zijn hoofd terwijl hij naar de beschuitbus grijpt. 'We zijn tot de conclusie gekomen dat het beter is dat we een tijdje afstand van elkaar nemen. Eerlijk gezegd, het bevalt mij best zo. Met het huis in Loenen is niets aan de hand.'
Nog steeds heb ik geen woord gezegd. Verdrietig denk ik dat er weer voor iemand een droom in duigen is gevallen. Annet, die ook zo op zoek is naar geluk. Wat had ik het haar graag gegund, ondanks onze meningsverschillen. Als ik er zo over nadenk, vallen er een boel puzzelstukjes op hun plaats. Haar ontwijkende antwoorden wanneer we haar vroegen hoe het met de huwelijksplannen stond. Nu begrijp ik ook waarom ze nog steeds apart wonen. Voorzichtig leg ik mijn hand op die van Bob. 'Het spijt me zo dat ik dit onderwerp heb aangeroerd,' zeg ik zachtjes.
Bob haalt zijn schouders op. 'Je zou er toch achter gekomen zijn. Annet kan niet altijd toneel blijven spelen.' Bob kijkt me vermoeid aan. 'Trouwens, er is een vrouw naar wie ik de afgelopen tijd met andere ogen ben gaan kijken.'
Mijn ogen worden zo groot als schoteltjes. Het is wel een tijd voor ontboezemingen. 'Je hebt al een ander?' Ik schrik zelf van de schrille toon waarop ik het zeg.
'Nee,' antwoordt Bob op zijn rustige en bedaarde manier. 'Zij weet niets van mijn gevoelens, omdat zij niet vrij is.'
Het duizelt me. Op mijn nuchtere maag het nieuws dat het zo

goed als voorbij is tussen Annet en Bob, en dat hij ook al een oogje heeft op een andere vrouw heeft. Ik weet niet goed wat ik moet antwoorden. Duizenden gedachten komen in mij op.
'Kom, Else-Marie,' hoor ik Bob in de verte zeggen.
'Ik schrik alleen maar van al dat nieuws.'
'Dat begrijp ik, maar de tijd dringt. Hoe eerder je dit achter de rug heb, des te beter het voor jezelf is.'
Bob heeft gelijk.
Samen ruimen we de ontbijtboel af.
Daarna kleed ik me aan.
Dan is de badkamer voor Bob.
In de tussentijd loop ik voor de laatste keer door mijn appartement. Met een gevoel van weemoed bedenk ik hoelang het zal duren voordat ik hier weer een voet over de drempel zal zetten.
Wanneer Bob klaar is en ook hij zijn spullen heeft gepakt, kijkt hij mij aarzelend aan.
'We gaan!' zeg ik vastberaden, en ik neem mijn koffer in mijn hand.
'Laat mij maar,' zegt Bob, en hij neemt de koffer van mij over.
Met een diepe zucht sluit ik de deur achter mij.
'Wil je dat ik met je meega naar binnen?' Bob rijdt zijn auto de parkeerplaats op.
'Nee,' antwoord ik resoluut. 'Dit moet ik alleen doen.'
'Dat hoeft niet.' Bob haalt de sleutel uit het contact. 'Ik vind je een dappere en flinke meid.'
Ongewild moet ik lachen. 'Zo voelt het anders niet, hoor. Ik ben erg zenuwachtig.'
'Ik zie het aan je'. Bob legt zijn hand op mijn arm.
Door een waas van tranen kijk ik hem aan. 'Dank je wel voor alles, Bob.' Ik aarzel en draai dan mijn hoofd naar de andere kant. 'Ik moet dit alleen doen. Ik was die avond zo dapper en flink dat ik een eind aan het leven van Marion heb gemaakt. Nu moet ik ook zo dapper en flink zijn dat ik alleen het politiebureau in loop. Het is alleen een vreemd idee dat er, wanneer ik straks mijn straf heb uitgezeten, niemand op mij wacht. Dat ik ook weer alleen naar buiten zal komen.'
'Je hebt vrienden,' zegt Bob zachtjes.

Weer kijk ik hem aan. 'Ik ben benieuwd of die er nog steeds zullen zijn wanneer ik straks terug mag in de maatschappij.'
'Ik zal op je wachten, Else-Marie. Wanneer jij vrijkomt, sta ik daar buiten.' Zijn stem klinkt ernstig.
Ik kijk hem met een weemoedige blik aan. 'Zoals vrienden doen. Wie weet hoelang alles zal gaan duren.' Mijn stem sterft weg.
'Ik kom je regelmatig bezoeken, en ik heb al een afspraak geregeld met mijn advocatenkantoor.'
'Het is goed, Bob. Nogmaals bedankt voor alles.' Ik geef hem een zoen op zijn wang. Dan wil ik het portier openen, maar Bob houdt mij tegen.
'Blijf maar zitten. Ik help je wel met uitstappen.'
Wanneer hij even later het portier opent, zeg ik spottend: 'Toe maar, een dame helpen uitstappen. Ik ben benieuwd of de agenten die mij straks wegbrengen, dat ook zullen doen.'
'Als ze een beetje opvoeding hebben genoten, doen ze dat vast en zeker bij een dame.'
Ik zeg maar niets meer. Bij de ingang draai ik me nog een keer om. Bob staat bij zijn auto.
Ik zwaai naar hem.
Hij steekt zijn hand op.
Dan draai ik mij om, neem een flinke teug adem, kijk naar de grauwe lucht en stap door de draaideur naar binnen.

'Goedemorgen, Else-Marie, wat ben jij vroeg.'
Ik glimlach naar Jeroen.
'Kom je voor Mark? Hij is net binnen. Als je nog even geduld hebt...'
Ik schud mijn hoofd.
Jeroen kijkt me vragend aan. Hij ziet mijn koffer en trekt verbaasd zijn wenkbrauwen op.
'Ik kom niet voor Mark.'
Dan gaat er een deur open, en komt Mark binnenlopen.
Achter Jeroen langs kijk ik hem aan.
Maar Mark draait zijn hoofd weg. Met een mok koffie in zijn hand loopt hij door.
Jeroen kijkt mij bevreemd aan.

Een golf van misselijkheid overvalt mij. Nu niet gaan overgeven, niet hier. Puur van angst en spanning. Ik slik en ik slik nog eens.
'Ik heb nieuwe informatie over de verdwijning van Marion van der Laan.'
Jeroen start zijn computer en tikt een aantal gegevens in.
Voor mijn gevoel duurt het een eeuwigheid.
'Marion van der Laan,' mompelt Jeroen voor zich uit. 'Ja, hier heb ik het. Het dossier is gesloten omdat er te weinig aanwijzingen waren voor verder onderzoek.'
'Je kunt het heropenen,' zeg ik zachtjes.
'Vertel het maar,' zegt Jeroen.
'Ze is niet verdwenen. Ik heb haar die bewuste avond vermoord en haar lichaam laten verdwijnen. Ik heb ook een valse verklaring afgelegd. Ik kom me aangeven.'
Met een vastberaden blik kijk ik Jeroen aan.